A-Z B

G000298300

CONTEN

Key to Map Pages	Back Cover	Index to Streets, Towns,	
		Villages, Hospitals and	23-36
Map Pages	2-22	Selected Places of Interest	

REFERENCE

Motorway	**M66**	Map Continuation	▲ **14**
A Road	A58	Car Park (Selected)	**P**
B Road	B6196	Church or Chapel	†
Dual Carriageway		Fire Station	■
One-way Street	→	Hospital	**H**
Traffic flow on A Roads is also indicated by a heavy line on the driver's left.	→	House Numbers 'A' and 'B' Roads only	13 8
Restricted Access		Information Centre	**i**
Pedestrianized Road		National Grid Reference	⁴15
Track / Footpath		Police Station	▲
Railway	Level Crossing Station Tunnel	Post Office	★
		Toilet	▽
		with facilities for the Disabled	♿
East Lancashire Railway	Station	Educational Establishment	◳
Metrolink (LRT) The boarding of Metrolink trains at stops may be limited to a single direction, indicated by the arrow.	Stop	Hospital or Health Centre	◳
		Industrial Building	◳
Built Up Area	MILL ST.	Leisure or Recreational Facility	◳
		Place of Interest	◳
Local Authority Boundary		Public Building	◳
Posttown Boundary		Shopping Centre & Market	◳
Postcode Boundary within Posttowns		Other Selected Buildings	◳

Scale

1:15,840

0	¼	½ Mile

4 inches (10.16 cm) to 1 mile
6.31cm to 1kilometre

0	250	500	750 Metres	1 Kilometre

Copyright of Geographers' A-Z Map Company Limited

Head Office :
Fairfield Road, Borough Green, Sevenoaks, Kent TN15 8PP
Tel: 01732 781000 (General Enquiries & Trade Sales)

Showrooms :
44 Gray's Inn Road, London WC1X 8HX
Tel: 020 7440 9500 (Retail Sales)
www.a-zmaps.co.uk

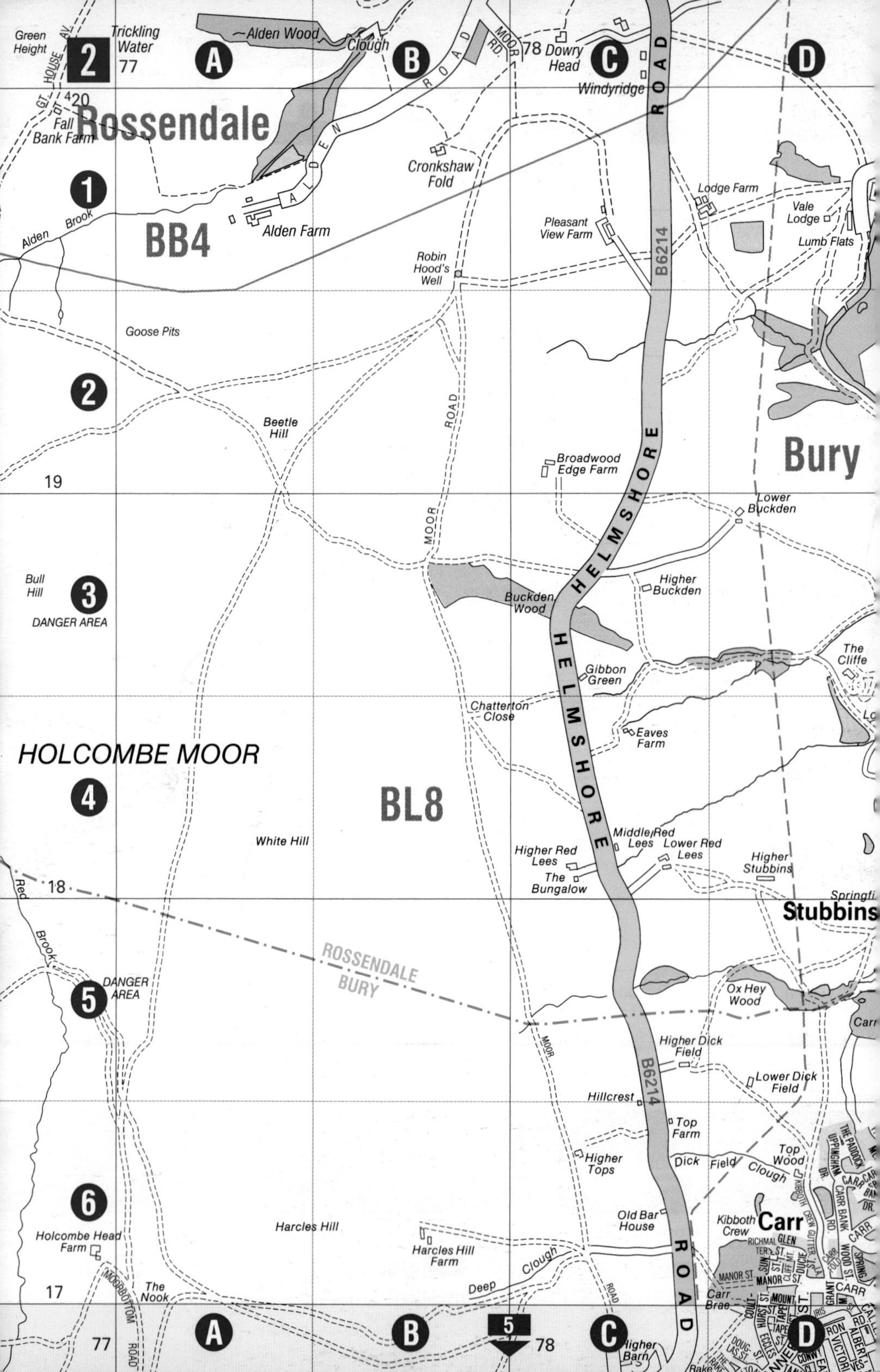

2
Green Height
Trickling Water
77
78
A
B
C
D
Alden Wood
Clough
MOOR RD.
ALDEN ROAD
Dowry Head
Windyridge
GT. HOUSE AV.
420
Fall Bank Farm
Rossendale
Cronkshaw Fold
1
Alden Brook
BB4
Alden Farm
Lodge Farm
Vale Lodge
Lumb Flats
Pleasant View Farm
Robin Hood's Well
B6214
ROAD
Goose Pits
2
Beetle Hill
MOOR ROAD
Bury
Broadwood Edge Farm
19
Lower Buckden
HELMSHORE
Bull Hill
3
DANGER AREA
Higher Buckden
Buckden Wood
The Cliffe
Gibbon Green
Chatterton Close
Eaves Farm
HOLCOMBE MOOR
4
BL8
White Hill
Middle Red Lees
Lower Red Lees
Higher Red Lees
Higher Stubbins
The Bungalow
18
Red Brook
Stubbins
ROSSENDALE
BURY
5
DANGER AREA
Ox Hey Wood
MOOR
Higher Dick Field
Lower Dick Field
Hillcrest
Top Farm
Higher Tops
Dick Field Clough
Top Wood
6
Old Bar House
Kibboth Crew
Carr
Harcles Hill
Holcombe Head Farm
Harcles Hill Farm
Deep Clough
The Nook
17
MOORBOTTOM ROAD
Carr Brae
MANOR ST.
5
Higher Barn
Rake

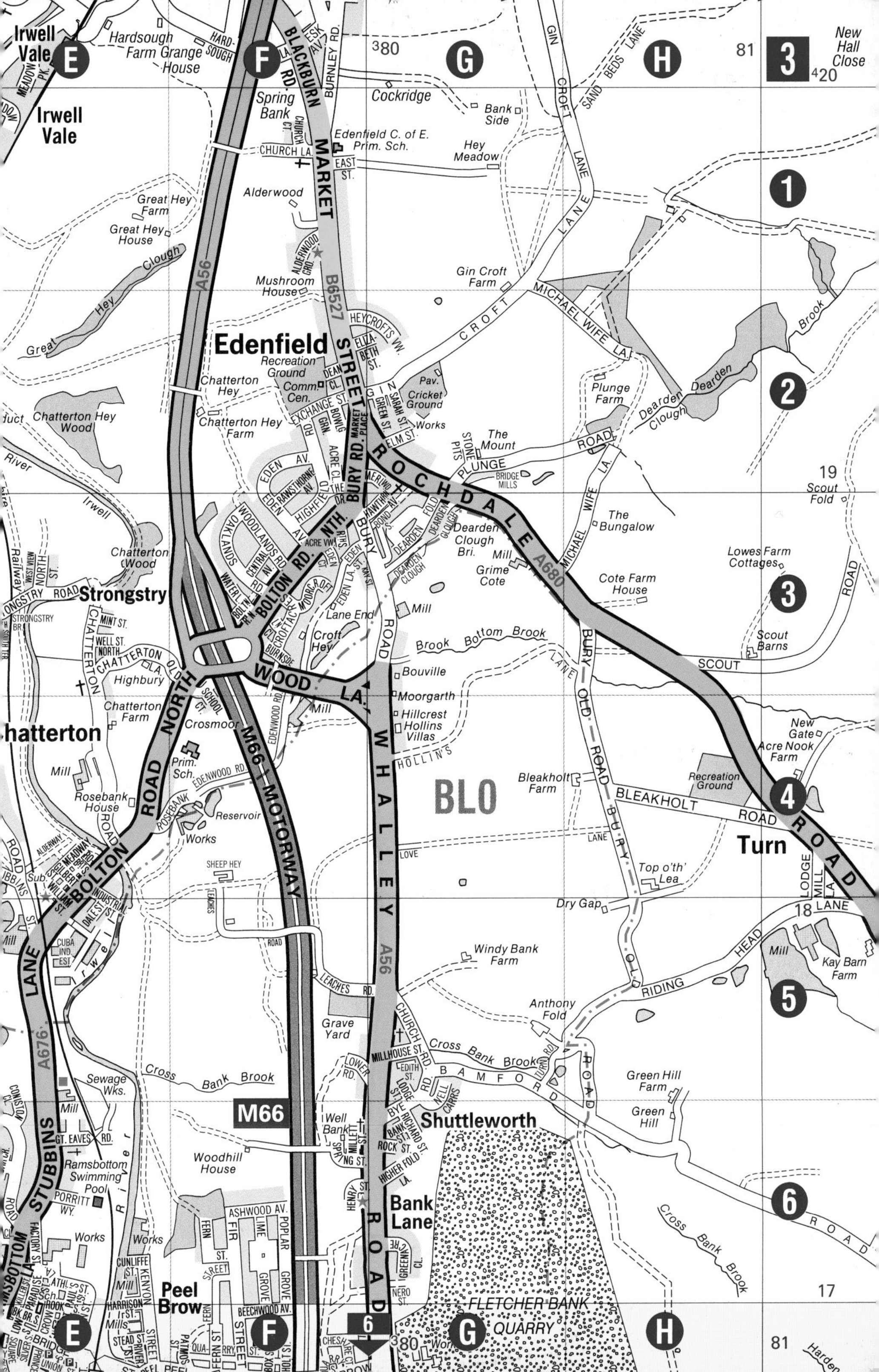
3
Irwell Vale
Hardsough Farm
Grange House
Edenfield
Spring Bank
Cockridge
Bank Side
Edenfield C. of E. Prim. Sch.
Hey Meadow
Alderwood
Great Hey Farm
Great Hey House
Great Hey Clough
Mushroom House
Gin Croft Farm
Michael Wife La.
Recreation Ground
Chatterton Hey
Comm. Cen.
Cricket Ground
Works
Plunge Farm
Dearden Clough
Chatterton Hey Wood
Chatterton Hey Farm
The Mount
Plunge Road
Bridge Mills
River Irwell
Rochdale Road
Scout Fold
The Bungalow
Dearden Clough Bri.
Chatterton Wood
Strongstry
Grime Cote
Lowes Farm Cottages
Cote Farm House
Mill
Lane End
Croft Hey
Brook Bottom Brook
Scout Barns
Scout Road
Bouville
Moorgarth
Hillcrest
Hollins Villas
Highbury
Chatterton Farm
Crosmoor
Chatterton
Bolton Road North
Wood La.
Whalley Road
A56
A680
M66 Motorway
New Gate
Acre Nook Farm
Bleakholt Farm
Recreation Ground
BLO
Bleakholt Road
Rosebank House
Prim. Sch.
Reservoir
Turn
Top o'th' Lea
Dry Gap
Windy Bank Farm
Kay Barn Farm
Riding Head Lane
Leaches Rd.
Grave Yard
Anthony Fold
Cross Bank Brook
Sewage Wks.
Bamford Road
Green Hill Farm
Green Hill
Shuttleworth
Well Bank
Stubbins Lane
A676
Woodhill House
Ramsbottom Swimming Pool
Bank Lane
Peel Brow
Fletcher Bank Quarry
Cross Bank Brook
Harden
New Hall Close
6
E
F
G
H
380
81
17
18
19
420

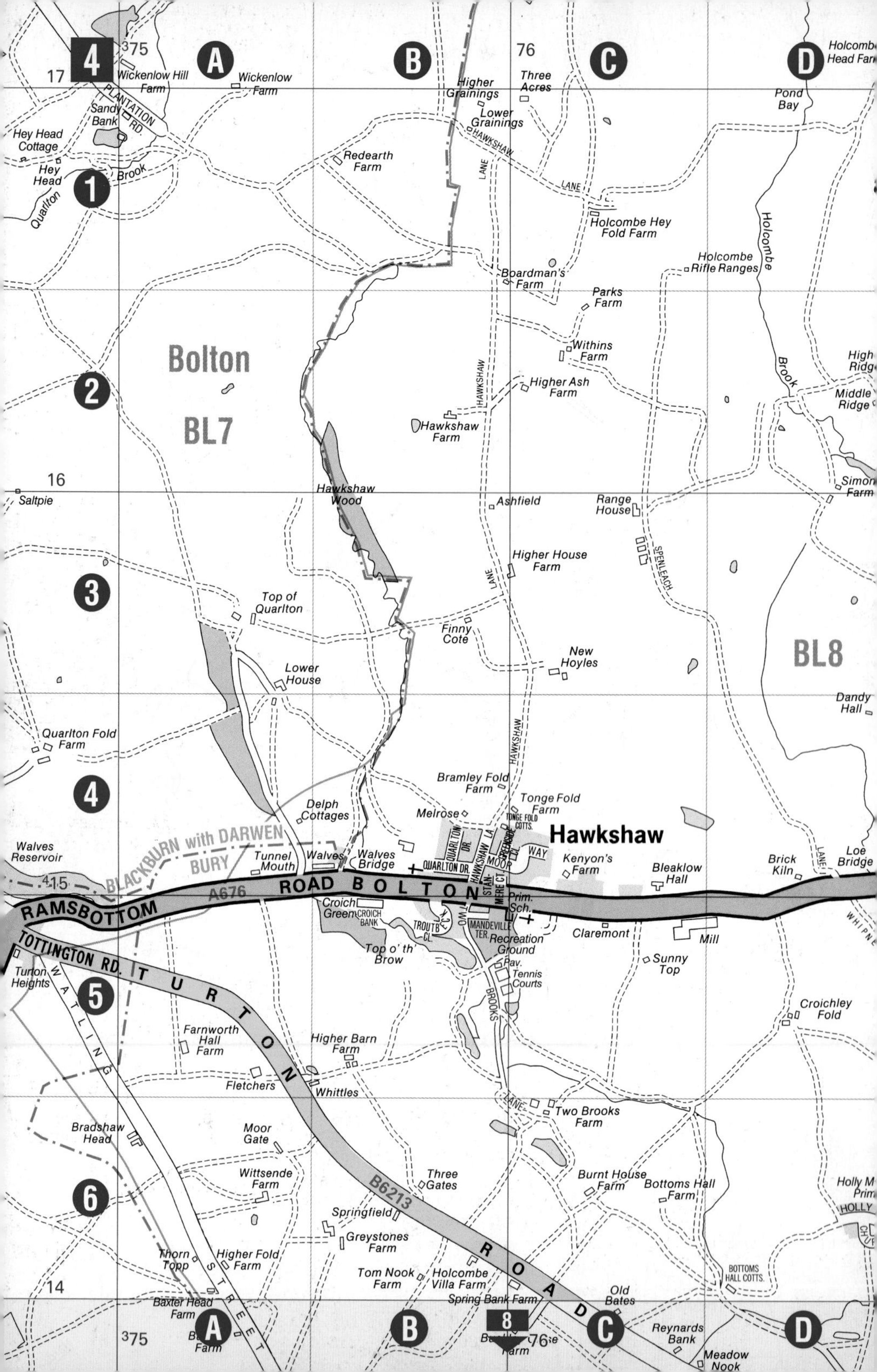

4
375
A
B
76
C
D
17
Wickenlow Hill Farm
Wickenlow Farm
Holcombe Head Farm
Plantation Rd.
Sandy Bank
Hey Head Cottage
Hey Head
Quarlton Brook
Redearth Farm
Higher Grainings
Lower Grainings
Three Acres
Hawkshaw Lane
Pond Bay
Holcombe Hey Fold Farm
1
Boardman's Farm
Parks Farm
Holcombe Rifle Ranges
Holcombe Brook
Bolton
BL7
2
Withins Farm
Higher Ash Farm
Hawkshaw Farm
High Ridge
Middle Ridge
Simon Farm
16
Saltpie
Hawkshaw Wood
Ashfield
Range House
Higher House Farm
Spenleach
3
Top of Quarlton
Finny Cote
New Hoyles
BL8
Lower House
Dandy Hall
Quarlton Fold Farm
4
Bramley Fold Farm
Delph Cottages
Melrose
Tonge Fold Farm
Tonge Fold Cotts.
Hawkshaw
Walves Reservoir
Blackburn with Darwen
Bury
Tunnel Mouth
Walves
Walves Bridge
Quarlton Dr.
Hawkshaw La
Moor Way
Kenyon's Farm
Bleaklow Hall
Brick Kiln
Loe Bridge
415
A676
Road Bolton
Ramsbottom
Croich Green
Croich Bank
Troutb. Cl.
Stanmere Ct.
Prim. Sch.
Mandeville Ter.
Claremont
Mill
Tottington Rd.
Turton Heights
Top o' th' Brow
Recreation Ground
Pav.
Tennis Courts
Sunny Top
5
Watling
Turton
Brooks
Croichley Fold
Farnworth Hall Farm
Higher Barn Farm
Fletchers
Whittles
Lane
Two Brooks Farm
Bradshaw Head
Moor Gate
6
Wittsende Farm
Three Gates
Burnt House Farm
Bottoms Hall Farm
Holly
B6213
Springfield
Greystones Farm
Thorn Topp
Higher Fold Farm
Street
Road
Tom Nook Farm
Holcombe Villa Farm
Bottoms Hall Cotts.
14
Baxter Head Farm
Spring Bank Farm
Old Bates
8
Reynards Bank
Meadow Nook
375
76

Harcles Hill
Harcles Hill Farm
2
78
5
E
F
G
H
The Nook
Carr
Kibboth Crew
Carr Brae
B6214
Higher Barn
HELMSHORE ROAD
MOOR ROAD
Sch.
Rake Fold
RAWSONS RAKE
CHAPEL LA.
The Old Rectory
Higher House
HOLCOMBE VILLAGE
Holcombe
Whimberry Close Plantation
Plant House
Manor House
Peel Tower
Tanners
DUNDEE LANE
TANNERS ST.
ROSTRON RD.
VICTORIA
ALBERT
HEAPWORTH AV.
BRAMWORTH AV.
JOY ST.
YOUNG ST.
ADAMS PL.
MOORS VW.
THELMA ST.
SPRING CL.
BUCHANAN ST.
STANLEY ST.
DOWNFIELD CL.
GLENEAGLES WY.
RAMSBOTTOM
St. Andrew's C. of E. Prim. Sch.
BOLTON ST.
ST. ANDREW'S
MANOR ST.
CARR ST.
CALLENDER ST.
BRIDGE ST.
CROW
IRWELL ST.
KING ST.
KAY BROW
LODGE M.
GRANTS LA.
WOODLANDS VW.
ROSE HILL
BARWOOD LEE
RAILWAY ST.
Depot
Mill
1
2
3
4
5
6
Nuttall Lane
Clarke's Tenement Farm
Top o'th' Moor Farm
Saplin Wood
Tag Wood
HILLSIDE RD.
HOLDEN AV.
GEORGE ST.
DOROTHY ST.
Works
ELLIS ST.
BAKER ST.
AITKEN ST.
Tower View
Half Acres
Hill End
HOLCOMBE ROAD
CARR ROAD
Hazelhurst
RAMSBOTTOM COTTAGE HOSP.
SALMESBURY HALL CL.
WHITTINGHAM DR.
RIVINGTON RD.
CHEVIOT CL.
CHILTERN
Bank Top
MOORBOTTOM ROAD
Meadow Heys
The Croft
Hey House Farm
Hey House
Bury
Darul Uloom Al-Arabiya-Al Islamia
B6214
CARR AV.
RINGWOOD AV.
Prim. Sch.
GEOFFREY ST.
Park Pav.
HAZELHURST CL.
Hazelhurst
A676
WEST ST.
ROAD
AVENUE
STANFORD HALL CR.
HALL
Nuttall
Cemy
CEMETERY RD.
LANCASTER AV.
YORK DRI.
DURHAM DRI.
RIPON
Broad Hey Wood
Redisher Wood
Dawes Bank Farm
REDISHER LANE
Higher Redisher Farm
Greystones
Works
BOOTHWOOD
ROAD
OLD ROAD
DALTON
HOLCOMBE
ADELAIDE ST.
MORAY CL.
HELMSDALE
Woodhey High Sch.
Rylston
Wood Hey
BL0
BROOKSBOTTOMS
STANEDGE CL.
ROSEBERRY
DRIVE
CLEVELAND
MARLBOROUGH CL.
PALMER
9
Loe Farm
Greenacre
Farm Cottage
REDISHER CLOSE
REDISHER CFT.
PARK RD.
WOODHEY
Pot Green
Woodhey
Brooksbottoms
PLANTATION VIEW
Lammy Bank
Play Area
Pav.
HOLCOMBE M.
THE PCT.
LUMB
LONGSIGHT
SUMMERSEAT
BOLTON ROAD
ROAD
A676
HUNTERS GRN.
TREETOPS AV.
HONEYWOOD CL.
BIRCH GR.
SPRINGWATER
SUNNYMEDE VALE
BROOKSIDE CL.
CALDY DR.
HAVENBROOK GRO.
ROBIN
RIVERSIDE DR.
ROAD
WATERSIDE
VICTORIAN LANTERNS
15
The Knoll
Holcombe Brook
HILLSTONE CL.
GREEN MOUNT DRIVE
ST. CLAIR RD.
DUNEDIN RD.
JACKDAW RD.
COLERIDGE RD.
SWAN RD.
AVONDALE
HOLCOMBE CT.
MAYFIELD RD.
KENDAL RD.
BROOKLANDS RD.
CASTLE GRO.
GARDEN
KINROSS
OAK
AVENUE
WINDRUSH AV.
PINEWOOD
SUMMERDALE DRI.
Pupil Learning Centre
MOSLEY AV.
Summerseat
ST. AUSTELL DR.
CHISHOLME CL.
Holhouse Farm
HOLHOUSE LANE
B6215
BYRON
REDWING
KEATS
WESTGATE AV.
STRETTON RD.
SOUTHFIELD
MONTROSE AV.
BEAULY CL.
Holcombe Brook Prim. Sch.
HAWTHORN AV.
HAWORTH AV.
HARCLES DR.
TRINITY
MANSFIELD
HAMER ST.
PEEL HALL RD.
RAILWAY ST.
WEST
RAILWAY
NORTH VW.
MELROSE
HALL ST.
LAURA ST.
HILLSIDE GDNS.
Greenmount Prim. Sch.
LARKFIELD
HUNT
TOR HEY
CONWAY CR.
FORTH
CARR
KENSINGTON CL.
SANDRINGHAM DR.
BALMORAL CL.
HEWLETT CT.
NEWCOMBE
GAINSBOROUGH RD.
HEATH AV.
HAZEL AV.
HIGHER SUMMERSEAT
LANE
Lower Summerseat
Club House
Greenhalgh Fold
Greenmount Golf Course
Hunt Fold
HOVE CLOSE
FOLD
Brick Barn
HOLCOMBE ROAD
NORTH AV.
ANDREW CL.
BODIAM
WINDSOR CL.
CAERNARVON CL.
BELVEDERE AV.
FERNVIEW DR.
THORNHILL RD.
Higher Summerseat
Wood Road
BRANDLESHOLME
HAYFIELD CL.
LOMAX ST.
DRIVE
GREEN PARK CL.
GREENHEYS CR.
GREENWAYS
HEAPLANDS
ROYSTON CL.
STATION RD.
NEWTON
WARWICK CL.
DOVER
VERNON
BEECH GRO.
NABBS WAY
BL9
MOUNT
Cricket Grd
Greenmount
B6215
HAZEL
ROAD
14
Holly Mount Farm
LANE
GREENSIDE
HOLCOMBE
SHEPHERDS
BRANDLESHOLME RD.
78
79

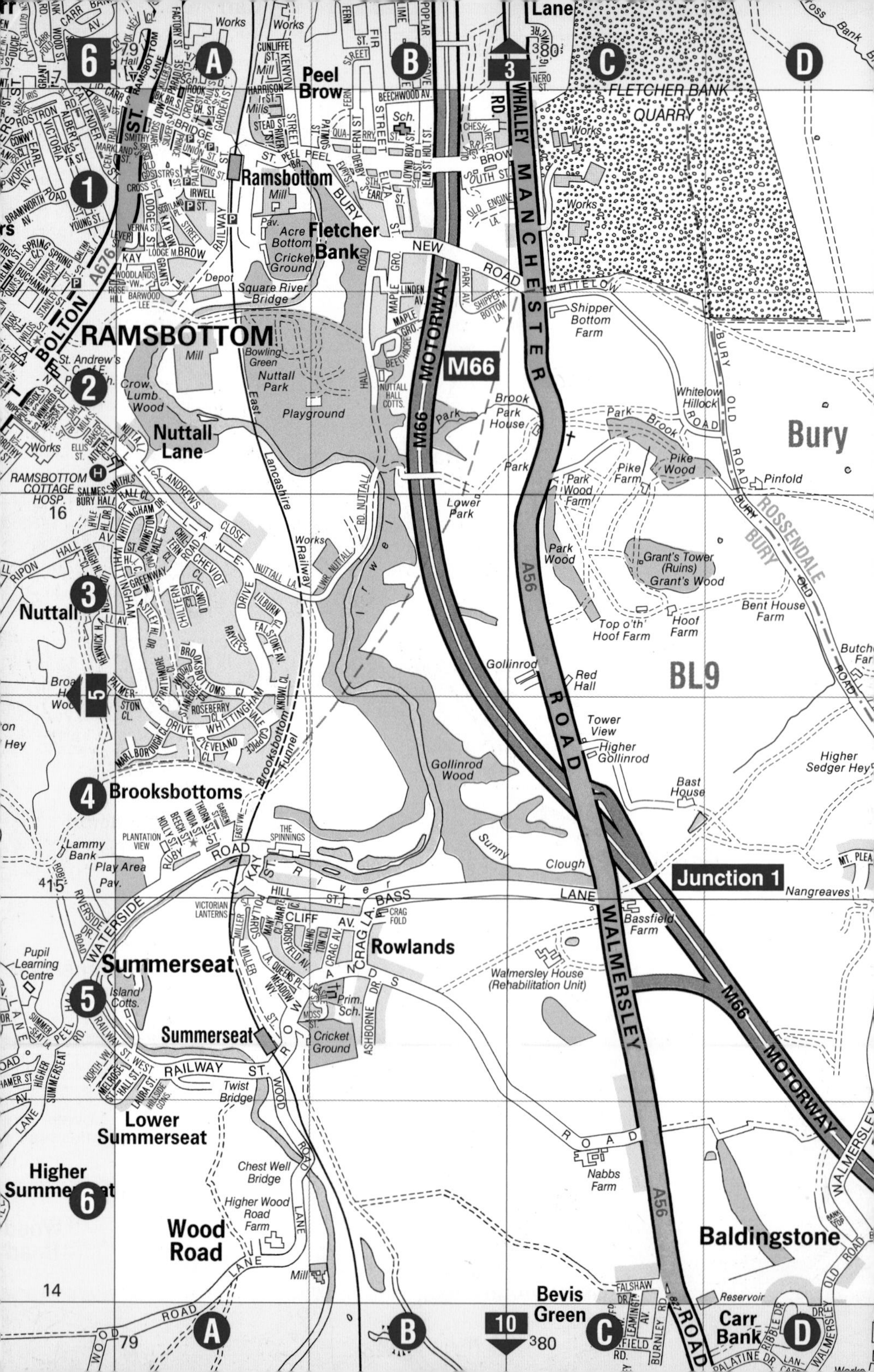

6
A
B
C
D
3
Lane
Works
Peel Brow
FLETCHER BANK QUARRY
Ramsbottom
Fletcher Bank
Acre Bottom Cricket Ground
Square River Bridge
RAMSBOTTOM
St. Andrew's C. of E. P. Sch.
Crow Lumb Wood
Nuttall Lane
RAMSBOTTOM COTTAGE HOSP.
Bowling Green
Nuttall Park
Playground
M66
MOTORWAY
MANCHESTER
WHALLEY RD.
NEW ROAD
WHITELOW
Shipper Bottom Farm
Whitelow Hillock
BURY OLD ROAD
Bury
Park House
Brook
Park Brook
Pike Farm
Pike Wood
Park Wood Farm
Lower Park
Pinfold
ROSSENDALE
Grant's Tower (Ruins)
Grant's Wood
Bent House Farm
Park Wood
A56
Top o'th' Hoof Farm
Hoof Farm
Gollinrod
Red Hall
BL9
Tower View
Higher Gollinrod
Higher Sedger Hey
Bast House
Gollinrod Wood
1
2
3
4
5
6
Nuttall
Brooksbottoms
Brooksbottom Tunnel
East Lancashire Railway
River Irwell
THE SPINNINGS
PLANTATION VIEW
Lammy Bank
Play Area
Pav.
ROAD
Sunny Clough
Junction 1
Nangreaves
MT. PLEA.
LANE
BASS
HILL ST.
VICTORIAN LANTERNS
CLIFF AV.
CRAG FOLD
Bassfield Farm
Rowlands
Summerseat
Pupil Learning Centre
Island Cotts.
Walmersley House (Rehabilitation Unit)
WALMERSLEY ROAD
Prim. Sch.
Cricket Ground
Summerseat
RAILWAY ST.
Twist Bridge
Lower Summerseat
Higher Summerseat
Chest Well Bridge
Higher Wood Road Farm
Wood Road
Nabbs Farm
Baldingstone
Mill
Reservoir
Bevis Green
Carr Bank
10
14
15
16
17
79
380

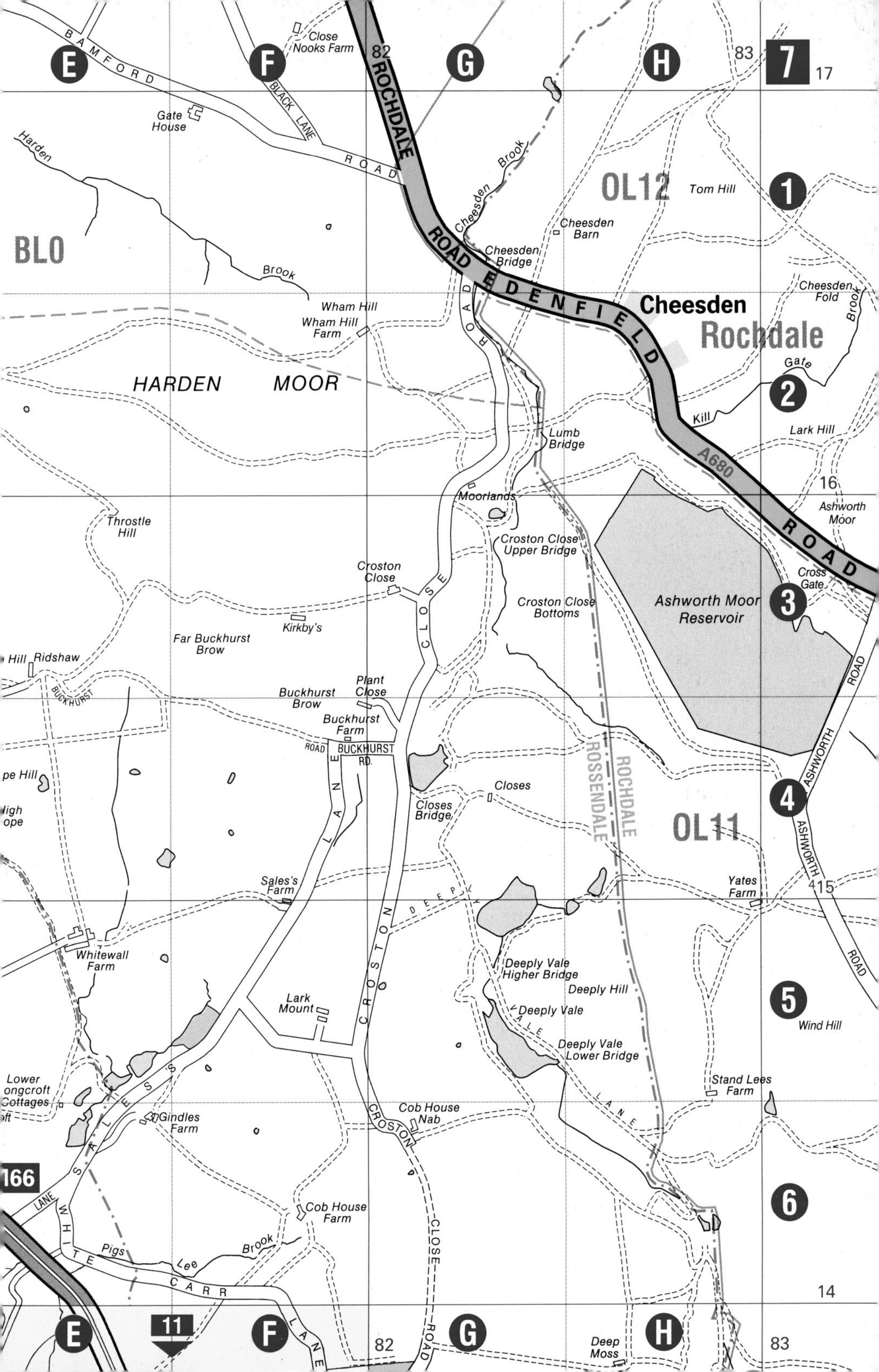
E
F
G
H
82
83
17
BAMFORD ROAD
BLACK LANE
ROCHDALE ROAD
Close Nooks Farm
Gate House
Harden Brook
BLO
OL12
Tom Hill
1
Cheesden Brook
Cheesden Barn
Cheesden Bridge
EDENFIELD ROAD
Cheesden
Rochdale
Cheesden Fold
Brook
Gate
Kill
2
Wham Hill
Wham Hill Farm
HARDEN MOOR
Lumb Bridge
Lark Hill
A680
16
Ashworth Moor
Moorlands
Throstle Hill
Croston Close Upper Bridge
Croston Close
Cross Gate
3
Ashworth Moor Reservoir
Croston Close Bottoms
Kirkby's
Far Buckhurst Brow
Hill
Ridshaw
BUCKHURST
Plant Close
Buckhurst Brow
Buckhurst Farm
BUCKHURST ROAD
RD.
ASHWORTH ROAD
ROCHDALE
ROSSENDALE
Closes
Closes Bridge
4
OL11
pe Hill
High ope
LANE
Sales's Farm
Yates Farm
15
DEEPLY VALE LANE
Whitewall Farm
Deeply Vale Higher Bridge
Deeply Hill
Deeply Vale
5
Wind Hill
Lark Mount
CROSTON
Deeply Vale Lower Bridge
Stand Lees Farm
Lower ongcroft Cottages
ft
Gindles Farm
SALES
Cob House Nab
CROSTON CLOSE ROAD
166
6
LANE
WHITE CARR LANE
Cob House Farm
Pigs Lee Brook
14
11
Deep Moss

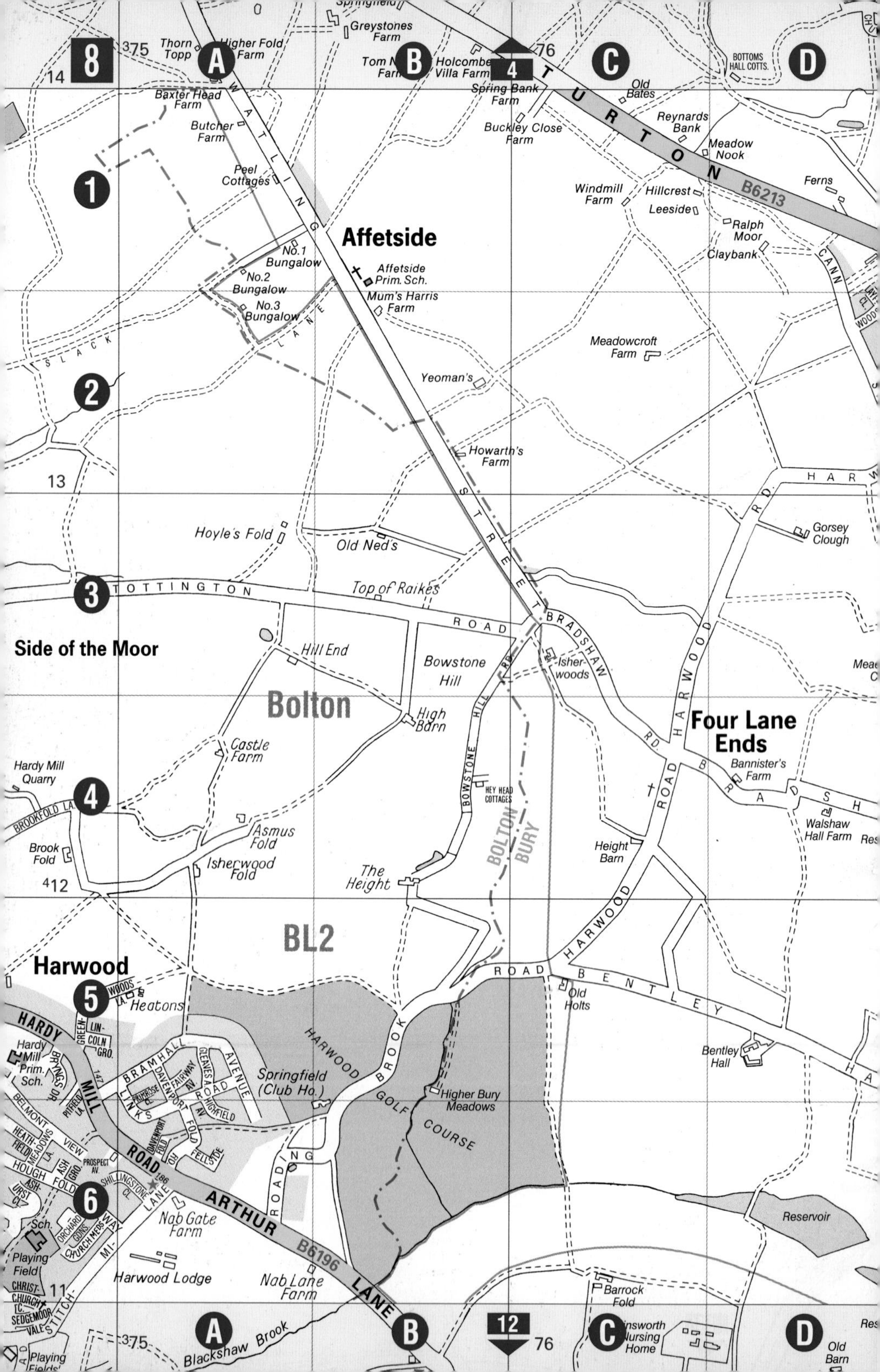

8
4
12
Affetside
Bolton
BL2
Four Lane Ends
Harwood
Side of the Moor
WATLING STREET
TURTON
B6213
TOTTINGTON ROAD
BRADSHAW RD.
HARWOOD ROAD
BENTLEY ROAD
HARDY MILL ROAD
ARTHUR LANE
B6196
SLACK LANE
BOWSTONE HILL RD.
BOLTON BURY
HARWOOD GOLF COURSE
Reservoir
Greystones Farm
Thorn Topp
Higher Fold Farm
Holcombe Villa Farm
Spring Bank Farm
Old Bates
Reynards Bank
Meadow Nook
BOTTOMS HALL COTTS.
Baxter Head Farm
Butcher Farm
Peel Cottages
Buckley Close Farm
Windmill Farm
Hillcrest
Leeside
Ferns
Ralph Moor
Claybank
No.1 Bungalow
No.2 Bungalow
No.3 Bungalow
Affetside Prim. Sch.
Mum's Harris Farm
Meadowcroft Farm
Yeoman's
Howarth's Farm
Hoyle's Fold
Old Ned's
Top of Raikes
Gorsey Clough
Hill End
Bowstone Hill
Isher-woods
High Barn
Castle Farm
Hardy Mill Quarry
BROOKFOLD LA.
Brook Fold
Asmus Fold
Isherwood Fold
HEY HEAD COTTAGES
The Height
Height Barn
Bannister's Farm
Walshaw Hall Farm
Heatons
Old Holts
Bentley Hall
Hardy Mill Prim. Sch.
Springfield (Club Ho.)
Higher Bury Meadows
Nab Gate Farm
Harwood Lodge
Nab Lane Farm
Barrock Fold
Ainsworth Nursing Home
Old Barn
Playing Field
Blackshaw Brook
ROADING
HARWOOD BROOK
375
76
14
13
412
11

Wood Road
9
14
79
78
E
F
G
H
5
Greenmount
BRANDLESHOLME RD.
B6215
LONGSIGHT B6214 RD.
WOOD ROAD
Holly Mount Farm
Brook House Bridge
Old Kays
Mill
Brookfield
Reservoir
Recreation Ground
Works
Rec. Grd.
The Whitehead Garden
STORMER HILL FOLD
HOLCOMBE
Old Hall Prim. Sch.
Brandlesholme Old Farm
Brandlesholme Old Hall
Kirklees
Reservoir
Tottington
BL8
MARKET ST.
Council Offs.
Lib.
Tottington High Sch.
Playing Field
Recreation Ground
KIRKLEES IND. EST.
Brandlesholme
Brandlesholme Ho.
Killelea Ho.
Garside Hey
1
2
3
4
5
6
10
B6214
BURY ROAD
B6213
TOTTINGTON ROAD
Prim. Sch.
Booth Hall Farm
Sheep Gate Farm
Playing Fields
Walshaw Hall
Cricket Ground
Christ Church Prim. Sch.
Play. Flds.
Walshaw
Woolfold
Kirklees Brook
Viaduct
Mills
BOLHOLT IND. PK.
Walshaw Brook
Bolholt
Elton High School
Owler Barrow
High Crompton
WALSHAW ROAD
HIGH STREET
Works
Reservoir
Sewage Works
Scholes Nursery
Sports Field
Prim. Sch.
Elton Brook
Mills
Works
WOOLFOLD TRAD. EST.
Elton
Rec. Grd.
Tennis Court
13
11

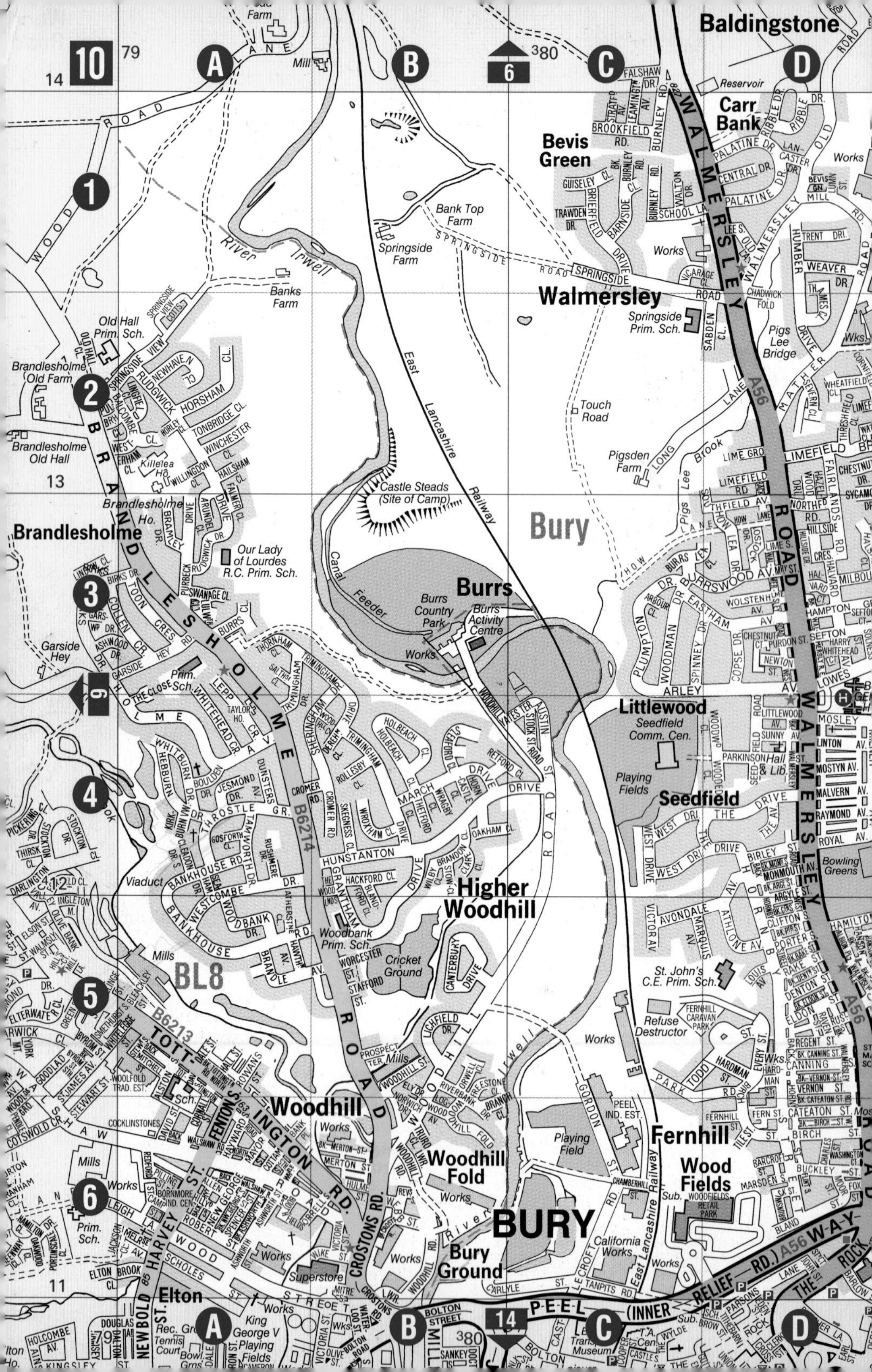
Baldingstone
Carr Bank
Bevis Green
Walmersley
Brandlesholme
Burrs
Burrs Country Park
Burrs Activity Centre
Castle Steads (Site of Camp)
Bury
Littlewood
Seedfield
Higher Woodhill
Woodhill
Woodhill Fold
Fernhill
Wood Fields
BURY
Bury Ground
Elton
BL8
River Irwell
East Lancashire Railway
Canal Feeder
Springside Farm
Bank Top Farm
Banks Farm
Touch Road
Pigsden Farm
Old Hall Prim. Sch.
Brandlesholme Old Farm
Brandlesholme Old Hall
Brandlesholme Ho.
Our Lady of Lourdes R.C. Prim. Sch.
Springside Prim. Sch.
Pigs Lee Bridge
Littlewood Seedfield Comm. Cen.
Playing Fields
Woodbank Prim. Sch.
Cricket Ground
St. John's C.E. Prim. Sch.
Refuse Destructor
Fernhill Caravan Park
Peel Ind. Est.
Playing Field
California Works
Woodfields Retail Park
Transport Museum
King George V Playing Fields
Viaduct
Mills
Works
Superstore
Garside Hey
Reservoir
Bowling Greens
Hall & Lib.
WALMERSLEY ROAD
A56
BRANDLESHOLME ROAD
B6214
B6213
TOTTINGTON RD.
CROSTONS RD.
PEEL WAY (INNER RELIEF RD.)
BOLTON STREET
SPRINGSIDE ROAD
WOOD ROAD
WOODHILL ROAD
A B C D
1 2 3 4 5 6
6
9
14
13
12
11
79
380

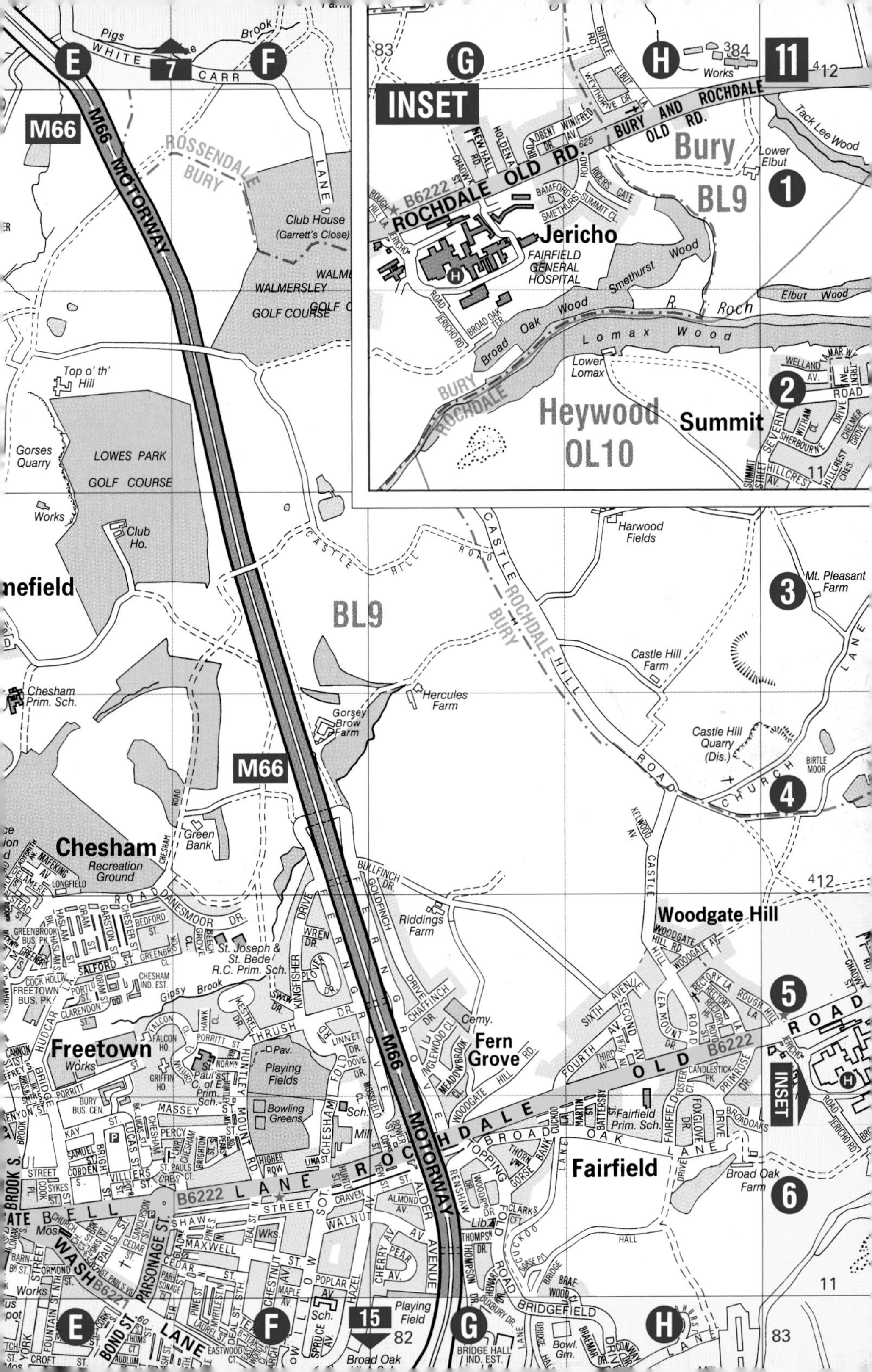

11
E
F
G
H
7
INSET
M66
M66 MOTORWAY
WHITE CARR
Pigs Lee
Brook
ROSSENDALE
BURY
LANE
Club House
(Garrett's Close)
WALMERSLEY
GOLF COURSE
Top o' th' Hill
Gorses Quarry
LOWES PARK
GOLF COURSE
Works
Club Ho.
nefield
Chesham Prim. Sch.
BL9
CASTLE HILL ROAD
ROCHDALE
BURY
CASTLE HILL ROAD
Harwood Fields
Mt. Pleasant Farm
Castle Hill Farm
Hercules Farm
Gorsey Brow Farm
Castle Hill Quarry (Dis.)
CHURCH LANE
BIRTLE MOOR
Green Bank
Chesham
Recreation Ground
DANESMOOR DR.
BULLFINCH DR.
GOLDFINCH
FERN GROVE
Riddings Farm
412
Woodgate Hill
St. Joseph & St. Bede R.C. Prim. Sch.
Gipsy Brook
Freetown
Works
Fern Grove
Cemy.
St. Paul's C. of E. Prim. Sch.
Playing Fields
Bowling Greens
Fairfield Prim. Sch.
Fairfield
Broad Oak Farm
ROCHDALE OLD ROAD
B6222
BELL LANE
B6222
WASH LANE
B6221
PARSONAGE ST.
BOND ST.
ALDER AVENUE
BROAD OAK LANE
BRIDGEFIELD
Bowl. Grn.
BRIDGE HALL IND. EST.
Broad Oak
15
82
83
Playing Field
Sch.
Wks.
Mill
Lib.
BURY AND ROCHDALE OLD RD.
ROCHDALE OLD RD.
Bury
BL9
Lower Elbut
Tack Lee Wood
Works
384
Jericho
FAIRFIELD GENERAL HOSPITAL
Smethurst Wood
Broad Oak Wood
R. Roch
Elbut Wood
Lomax Wood
Lower Lomax
Heywood
OL10
Summit
BURY
ROCHDALE
1
2
3
4
5
6

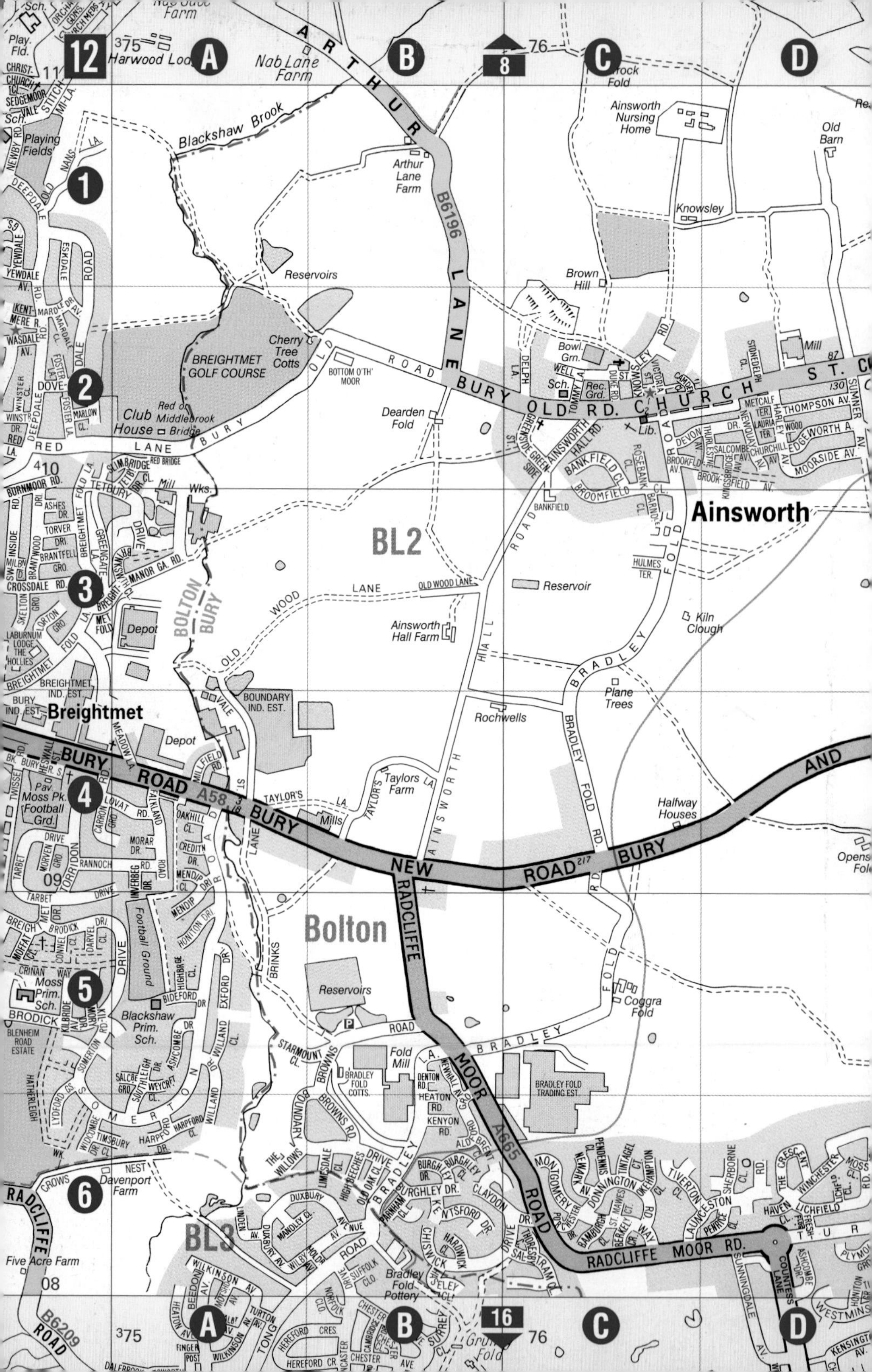

12
8
16
A
B
C
D
1
2
3
4
5
6
BL2
BL3
Ainsworth
Breightmet
Bolton
Arthur Lane Farm
Nab Lane Farm
Harwood Lodge
Blackshaw Brook
Reservoirs
Cherry Tree Cotts
BREIGHTMET GOLF COURSE
Club House
Red or Middlebrook Bridge
Bottom O'th' Moor
Dearden Fold
Ainsworth Nursing Home
Knowsley
Brown Hill
Old Barn
Mill
Ainsworth Hall Farm
Reservoir
Kiln Clough
Plane Trees
Rochwells
Taylors Farm
Halfway Houses
Coggra Fold
Bradley Fold Trading Est.
Bradley Fold Cotts.
Fold Mill
Bradley Fold Pottery
Davenport Farm
Five Acre Farm
Blackshaw Prim. Sch.
Moss Prim. Sch.
Football Ground
Moss Pk. Football Grd.
Depot
Boundary Ind. Est.
Breightmet Ind. Est.
Bury Ind. Est.
BOLTON
BURY
Playing Fields
B6196
A58
A665
B6209
ARTHUR LANE
BURY OLD RD.
CHURCH ST.
BURY ROAD
BURY NEW ROAD
RADCLIFFE MOOR ROAD
RADCLIFFE MOOR RD.
RADCLIFFE ROAD
BRADLEY FOLD RD.
AINSWORTH ROAD
OLD WOOD LANE
RED LANE

13
9
14
14
E
F
G
H
1
2
3
4
5
6
Starling
Bury
BL8
Elton
Daisyfield
Manchester
M26
Black Lane
MOOR ROAD
BOLTON ROAD
AINSWORTH ROAD
STARLING ROAD
HIGHER AINSWORTH ROAD
A58
B6196
B6292
Scholes Nursery
Sewage Works
Sports Field
Elton Brook
Reservoir
Works
Chantlers Prim. Sch.
Lowercroft Prim. Sch.
Recreation Ground
Reg. Mus.
Prim. Sch.
Pilkington Fold
Starling Wood
Top o' th' Carrs
Higher Spen Moor
Ainsworth Lodge Farm
Pond
MANCHESTER BOLTON & BURY RESERVOIR
Old Hall Farm
Doffer Fold
Brook Bottom Farm
Withins Reservoir
Moss Shaw Farm
CEMETERY
Crow Trees Farm
Cricket Ground
Radcliffe Boys Club Warehouse
Refuse Disposal Works
Coney Green
Radcliffe Borough F.C. (Stainton Park)
Youth Cen.
Radcliffe Jun. & Inf.
Rec. Grd.
CONSTELLATION TRAD. EST.
Manchester, Bolton & Bury Canal
Elton Ho.
Rec. Grd.
Tennis Court
Bowl. Grns.
Play-grd.
High Ba
410
09
08
78
79

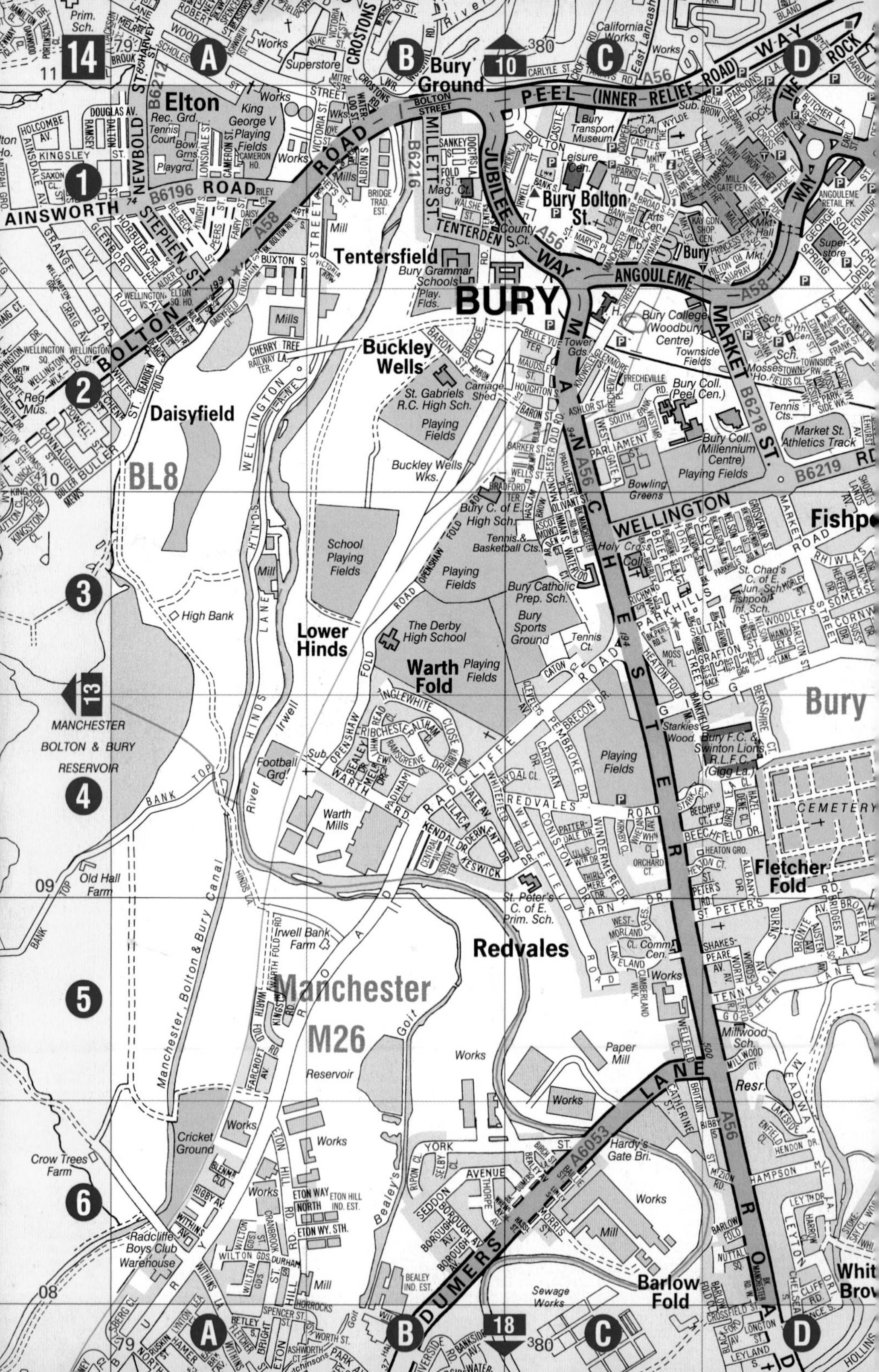

14
10
A
B
C
D
Elton
King George V Playing Fields
Bury Ground
PEEL (INNER RELIEF ROAD) WAY
Bury Transport Museum
Leisure Cen.
Bury Bolton St.
Tentersfield
Bury Grammar Schools
BURY
AINSWORTH ROAD
B6196
BOLTON ROAD
A58
A56
ANGOULEME WAY
Bury College (Woodbury Centre)
Townside Fields
Bury Coll. (Peel Cen.)
Bury Coll. (Millennium Centre)
Market St. Athletics Track
B6219
B6218
B6216
Buckley Wells
St. Gabriels R.C. High Sch.
Playing Fields
Buckley Wells Wks.
Daisyfield
BL8
School Playing Fields
Bury C. of E. High Sch.
Tennis & Basketball Cts.
Bury Catholic Prep. Sch.
Bury Sports Ground
MANCHESTER ROAD
WELLINGTON ROAD
Fishpool Inf. Sch.
St. Chad's C. of E. Jun. Sch.
Lower Hinds
The Derby High School
Warth Fold
High Bank
13
MANCHESTER BOLTON & BURY RESERVOIR
Starkies Wood.
Bury F.C. & Swinton Lions R.L.F.C. (Gigg La.)
Bury
CEMETERY
Football Grd.
Warth Mills
RADCLIFFE ROAD
REDVALES ROAD
Fletcher Fold
Old Hall Farm
St. Peter's C. of E. Prim. Sch.
Irwell Bank Farm
Redvales
Manchester
M26
Manchester, Bolton & Bury Canal
River Irwell
Reservoir
Works
Paper Mill
Millwood Sch.
Resr.
Cricket Ground
Crow Trees Farm
Hardy's Gate Bri.
A6053
DUMERS LANE
Mill
Radcliffe Boys Club Warehouse
Bealey Ind. Est.
Eton Hill Ind. Est.
Sewage Works
Barlow Fold
18
380
79
08
09

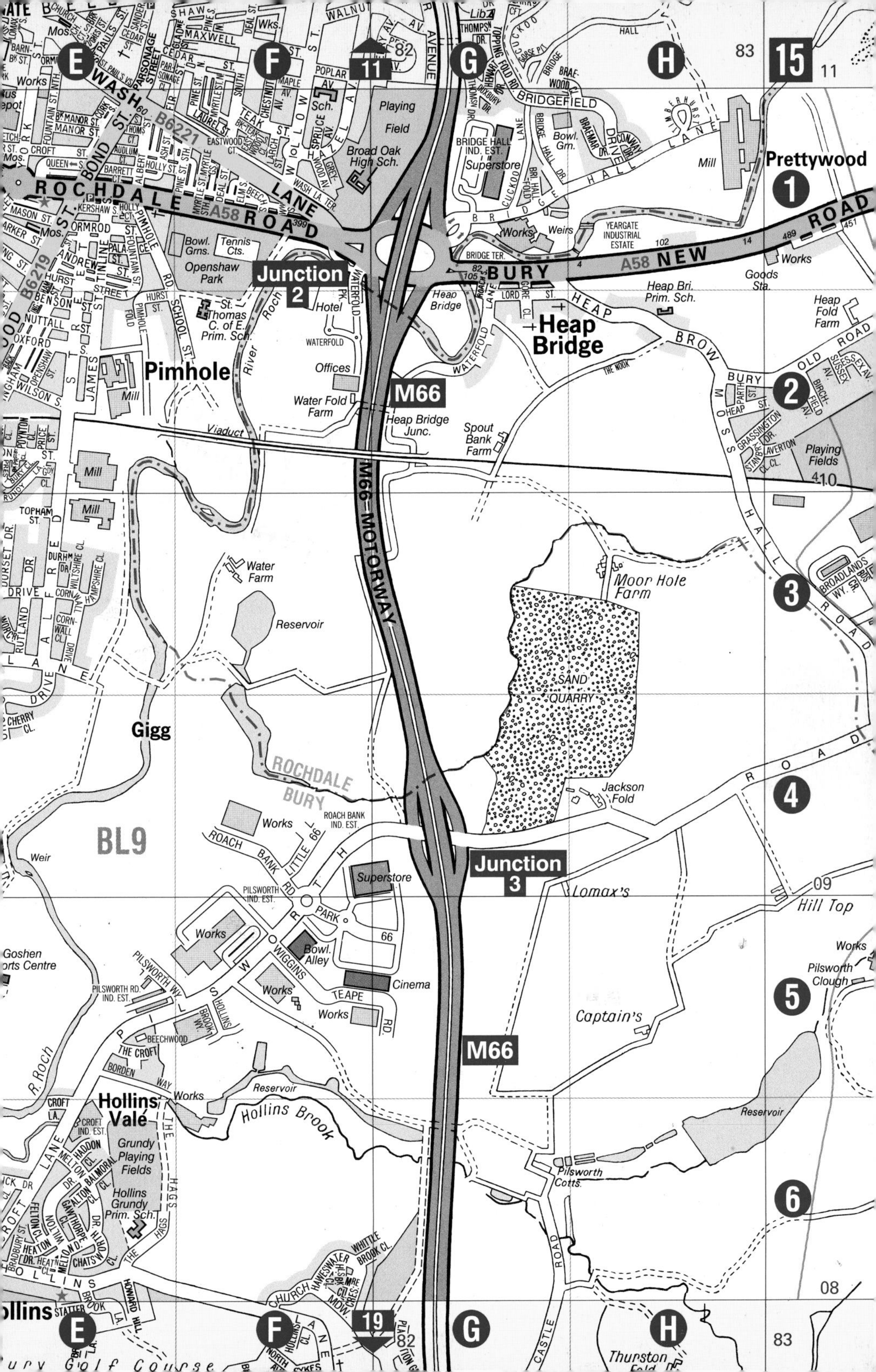

15
11
83
E
F
G
H
Prettywood
1
2
3
4
5
6
ROCHDALE ROAD
A58
WASH LANE
B6221
BRIDGE HALL LANE
BRIDGEFIELD
Playing Field
Broad Oak High Sch.
BRIDGE HALL IND. EST.
Superstore
Mill
YEARGATE INDUSTRIAL ESTATE
A58 NEW ROAD
BURY
Works
Goods Sta.
Heap Bri. Prim. Sch.
Heap Fold Farm
Junction 2
Opensha Park
St. Thomas C. of E. Prim. Sch.
Hotel
Heap Bridge
HEAP BROW
BURY OLD ROAD
Pimhole
Offices
M66
Water Fold Farm
Heap Bridge Junc.
Spout Bank Farm
Viaduct
Playing Fields
M66 MOTORWAY
Water Farm
Reservoir
Moor Hole Farm
SAND QUARRY
MOSS HALL ROAD
Gigg
ROCHDALE
BURY
BL9
Works
ROACH BANK IND. EST.
Jackson Fold
Junction 3
Lomax's
Hill Top
Weir
PILSWORTH IND. EST.
Superstore
Bowl. Alley
Cinema
Goshen Sports Centre
Pilsworth Clough
PILSWORTH RD. IND. EST.
Captain's
Hollins Vale
Grundy Playing Fields
Hollins Grundy Prim. Sch.
Hollins Brook
Reservoir
Pilsworth Cotts.
R. Roch
Hollins
19
82
Thurston Fold
Bury Golf Course
08
09
410

375
A
B
C
D
1
2
3
4
5
6
12
08
07
06
405
76
Dove Bank
LITTLE LEVER
BL3
Bolton
Nob End
Prestolee
Kearsley
Stoneclough
Ringley
BL4
RADCLIFFE RD.
DOVE BANK RD.
CHURCH RD.
ST. MARKET ST.
HIGH ST.
STOPES ROAD
A6053
RADCLIFFE MOOR RD.
COUNTESS LA.
A665
MARKET ST.
RINGLEY RD.
KEARSLEY ROAD
A667
STONECLOUGH RD.
BOLTON ROAD
A666
PRESTOLEE ROAD
BOSCOW RD.
Masefield Primary School
St. Teresa's R.C. Prim. Sch.
St. Matthew's C. of E. Prim. Sch.
Mytham Prim. Sch.
Prestolee Prim. Sch.
St. Saviour Ringley Prim. Sch.
Moses Gate Country Park
Football Ground
Europa Trading Estate
Manchester, Bolton & Bury Canal (Dis)
Ringley Lock
Ringley Bridge
Ringley Canal Bridge
Stopes Farm
Harper Fold
Nearer Shore Top
Shore Top Farm
Oak Hill
Langley Brow
Seddon's Fold
Wilsons Bridge
Lower Farley
Wellfield
Kearsley Park
Horridge Brook
Kearsley Mount
Sewage Works
Grundy Fold
Bottom of Croft
Weir
Mill
Works
BURY
BOLTON

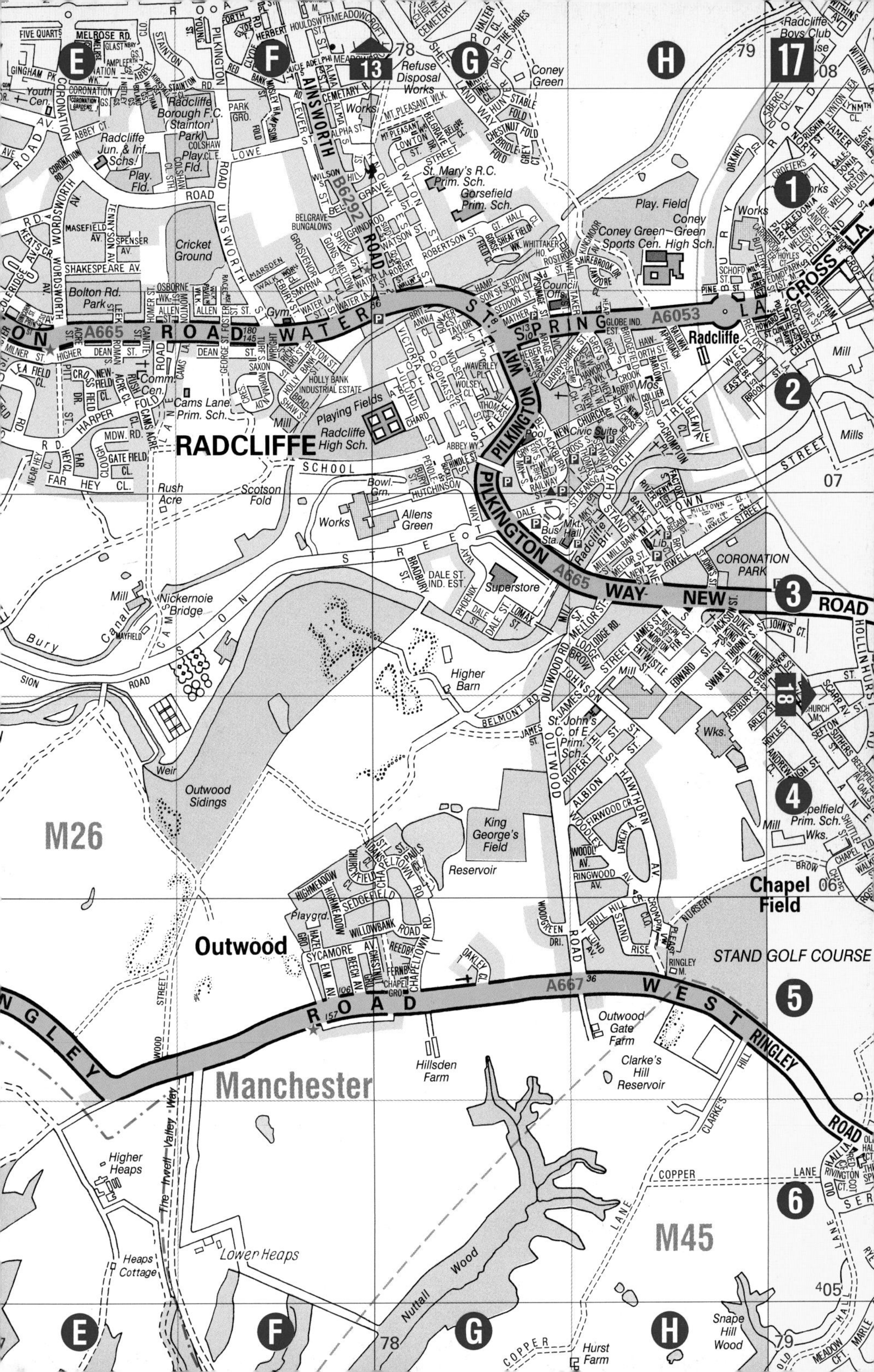

17
13
18
E
F
G
H
1
2
3
4
5
6
RADCLIFFE
Radcliffe
Outwood
Manchester
Chapel Field
M26
M45
A665
A6053
A667
B6292
WATER ST.
SPRING LA.
CROSS LA.
PILKINGTON WAY
NEW ROAD
RINGLEY ROAD WEST
BOLTON ROAD
AINSWORTH ROAD
UNSWORTH ST.
OUTWOOD RD.
STAND GOLF COURSE
CORONATION PARK
Coney Green
Coney Green Sports Cen.
Coney Green High Sch.
Play. Field
Radcliffe Boys Club
Refuse Disposal Works
Radcliffe Borough F.C. (Stainton Park)
Radcliffe Jun. & Inf. Schs.
Cricket Ground
Bolton Rd. Park
Cams Lane Prim. Sch.
Comm. Cen.
Playing Fields
Radcliffe High Sch.
St. Mary's R.C. Prim. Sch.
Gorsefield Prim. Sch.
Holly Bank Industrial Estate
Council Offs.
Civic Suite
Pool
Bus Sta.
Mkt. Hall
Lib.
Superstore
Dale St. Ind. Est.
Allens Green
Works
Bowl. Grn.
Rush Acre
Scotson Fold
Nickernoie Bridge
Bury Canal
Weir
Outwood Sidings
Higher Barn
St. John's C. of E. Prim. Sch.
King George's Field
Reservoir
Playgrd.
Chapelfield Prim. Sch.
Outwood Gate Farm
Clarke's Hill Reservoir
Hillsden Farm
Higher Heaps
Heaps Cottage
Lower Heaps
The Irwell Valley Way
Nuttall Wood
Snape Hill Wood
Hurst Farm
Mills
Mill
Youth Cen.
Gym.

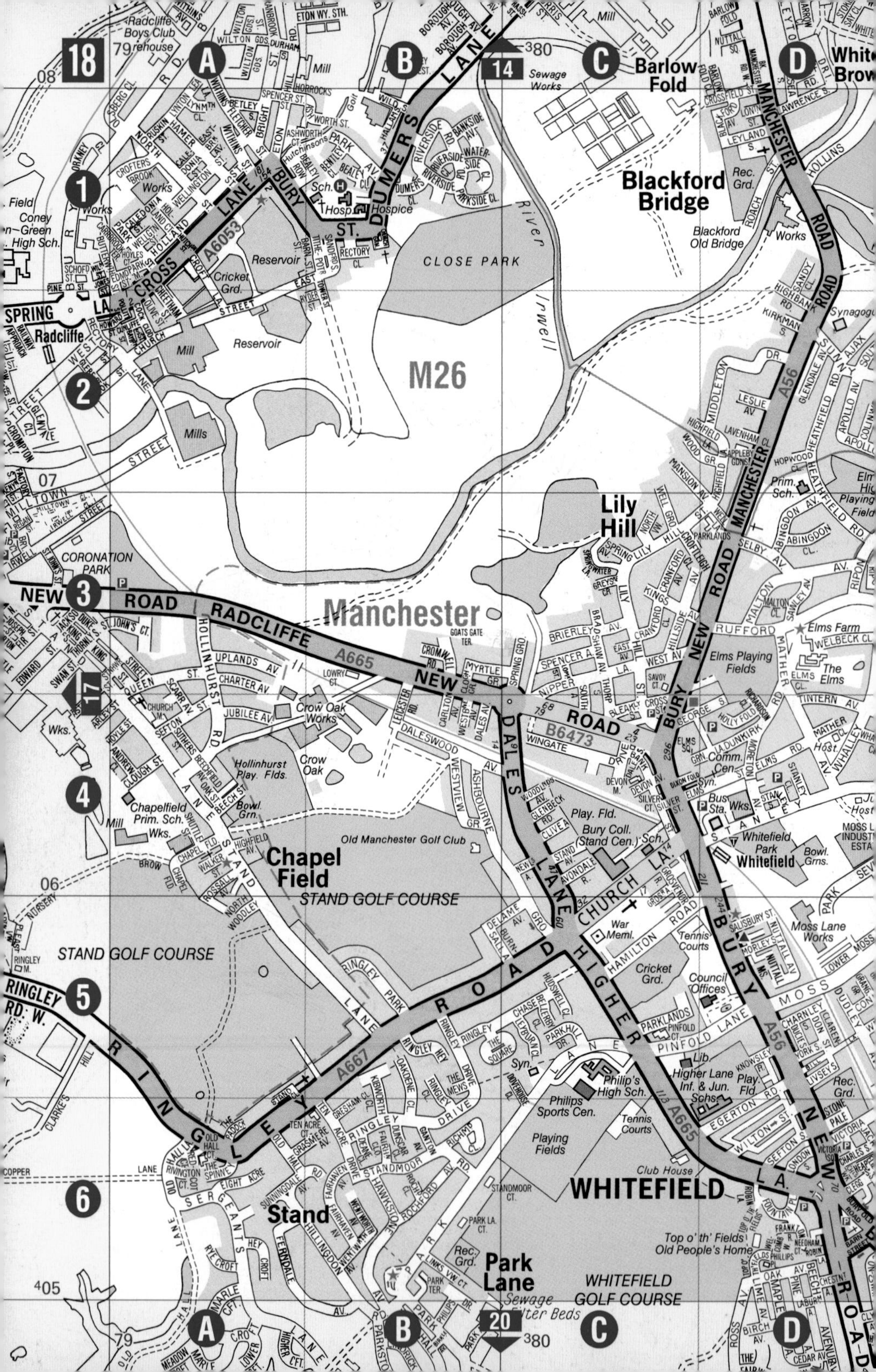
18
A
B
C
D
1
2
3
4
5
6
14
17
20
Radcliffe Boys Club
Barlow Fold
Blackford Bridge
Blackford Old Bridge
Sewage Works
CLOSE PARK
River Irwell
M26
Reservoir
Cricket Grd.
Mill
Mills
Radcliffe
SPRING LA.
CROSS LANE
BURY ST.
DUMERS LANE
A6053
Hospice
MANCHESTER ROAD
A56
Lily Hill
CORONATION PARK
NEW ROAD
RADCLIFFE NEW ROAD
A665
Manchester
Crow Oak Works
Crow Oak
Hollinhurst Play. Flds.
Chapelfield Prim. Sch.
Chapel Field
STAND GOLF COURSE
Old Manchester Golf Club
DALES LANE
B6473
Bury Coll. (Stand Cen.)
CHURCH LA.
War Meml.
HAMILTON ROAD
Cricket Grd.
Council Offices
Tennis Courts
BURY NEW ROAD
Elms Playing Fields
Elms Farm
The Elms
Whitefield Park
Whitefield
Bus Sta.
Moss Lane Works
RINGLEY ROAD
A667
RINGLEY RD. W.
HIGHER LANE
Philip's High Sch.
Philips Sports Cen.
Playing Fields
Club House
WHITEFIELD
Higher Lane Inf. & Jun. Schs.
Stand
Park Lane
Sewage Filter Beds
WHITEFIELD GOLF COURSE
Top o' th' Fields Old People's Home
380
405
79
08
07
06

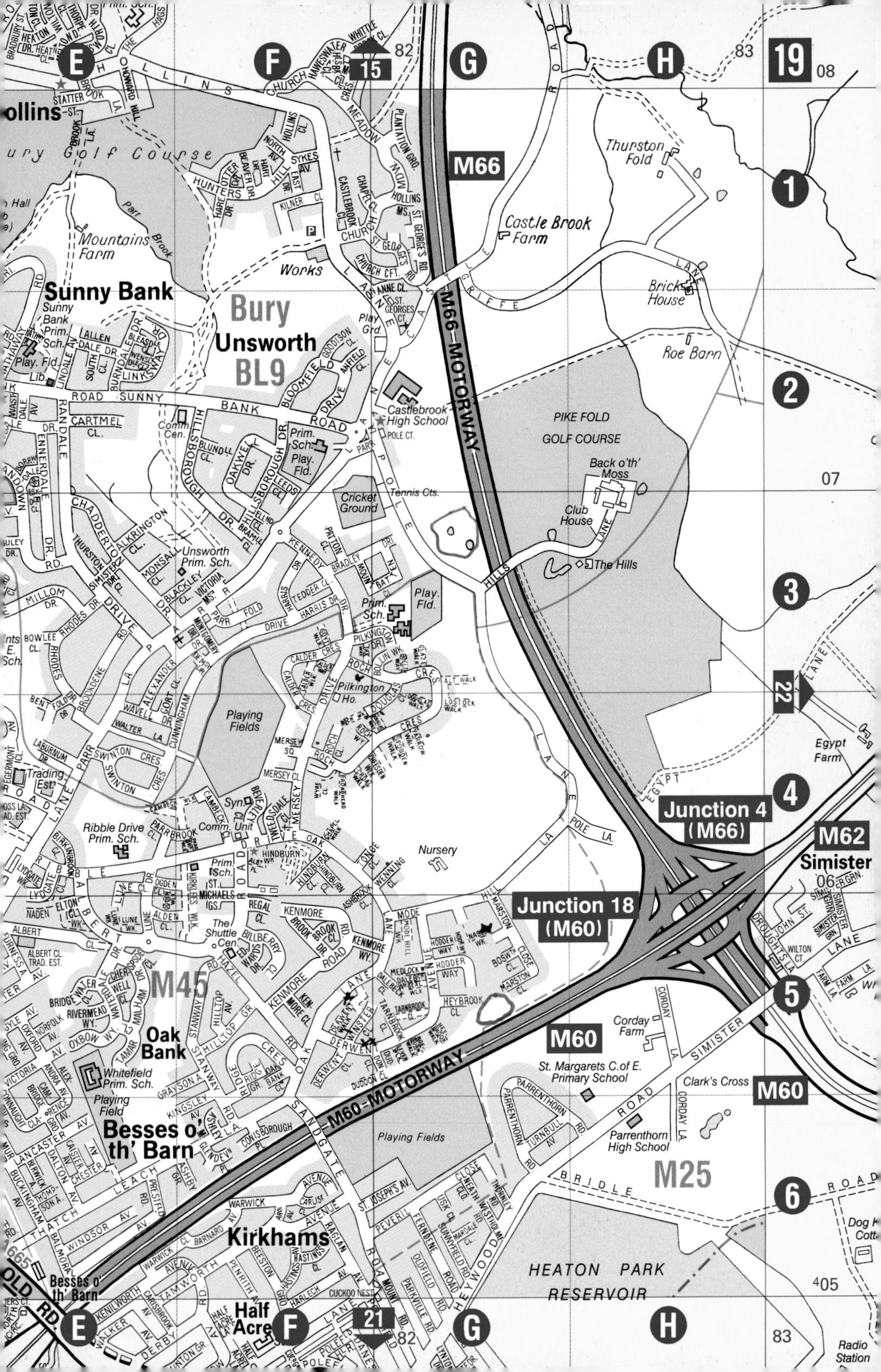
19
15
21
22
M66
M66-MOTORWAY
M60-MOTORWAY
M60
M62
Junction 4 (M66)
Junction 18 (M60)
Bury
Unsworth
BL9
M45
M25
Sunny Bank
Hollins
Simister
Oak Bank
Besses o' th' Barn
Kirkhams
Half Acre
Thurston Fold
Castle Brook Farm
Brick House
Roe Barn
Egypt Farm
PIKE FOLD GOLF COURSE
Back o'th' Moss
Club House
The Hills
Castlebrook High School
Cricket Ground
Playing Fields
Mountains Farm
Works
Pilkington Ho.
Nursery
Corday Farm
St. Margarets C.of E. Primary School
Parrenthorn High School
Clark's Cross
HEATON PARK RESERVOIR
Ribble Drive Prim. Sch.
Whitefield Prim. Sch.
Unsworth Prim. Sch.
Sunny Bank Prim. Sch.
Radio Station

20
Stand
A
B
C
D
18
79
380
405
1
2
3
4
5
6
04
03
02
Top o'th' Fields
Old People's Home
Sewage
Filter Beds
WHITEFIELD
GOLF COURSE
Park
Lane
Snape
Hill
Wood
Carter's
Hill
Park Lane
Farm
Jewish
Cemetery
Sports
Ground
ROAD
WEST
Philips
Park
M45
M60
MOTORWAY
Junc.
17
North
Wood
Mental Health
Services for
Salford
Superstore
Cricket
Ground
Outwood
Farm
Philips
Park
Bradley
Brook
Edenfield
Centre
BUNKERS
HILL
CLIFTON
BUCKLEY
LANE
Recreation
Ground
Prestwich Clough Park
Viaduct
Clifton
Aqueduct
River Irwell
Hogg's Br.
Fletcher's
Canal
Works
CLIFTON
INDUSTRIAL
ESTATE
NORTHERN
AVENUE
EASTERN
Sewage
Works
Manchester
BURY
SALFORD
Pepper Hill
Bridge
Pepper
Hill
Clifton
M27
Clifton Hall
Farm
Clifton
Green
Youth
Cen.
Silverdale
Prim. Sch.
Bowling
Gn
Tennis
Ct.
Sports
Grd
Aqueduct
Manchester, Bolton & Bury Canal
Playing
Field
Reservoir
Drinkwater
Park
Carr Clough
River
Irwell
Synagogues
JEWISH
BURIAL
GRD.
Household
Waste Site
Rubbish
Tip
High Bank
WHEATSHEAF
INDUSTRIAL
ESTATE
H.M.P.
FOREST
BANK
Training
Centre
Agecroft
Bri.
AGECROFT RD.
RAINSOUGH
KERSAL VALE
BURY NEW RD.
PHILIPS PARK RD. EAST
RUSKIN RD.
SHELLEY
SCOTT ROAD
LOWTHER
CARR AVE
WOODWARD
CLOUGH LA.
GARDNER
THORNTON CRES.
TOTTINGTON LA.
MERLIN DR.
FALCON CRES.
CRESCENT
RAKE LA.
LUMN'S LANE
CLIVELY AV.
WHITEHEAD

21
19
E
F
G
H
1
2
3
4
5
6
82
83
405
04
03
02
Kirkhams
Besses o' th' Barn
Half Acre
HEATON PARK RESERVOIR
BURY
MANCHESTER
Radio Station
Tennis Courts
Heaton Farm
Heaton Pk. Farm Cen.
Heaton Hall
Heaton Park Bowling Pavilion
Bowling Greens
Heaton Park Horticultural Cen.
Prestwich Prep. Sch.
HEATON PARK
Pool
Heaton Park
Boating Lake
Papal Monument
Tunnel
Parkside Centre
SHEEPFOOT LANE
A6044
A665
A56
OLD ROAD
BURY OLD ROAD
BURY NEW ROAD
SCHOLES LANE
HEYWOOD ROAD
HEATON LANE
RECTORY LANE
CUCKOO LANE
Prestwich Community School
Play. Fld.
Football Ground
Heys Play. Fld.
Prestwich
Cricket Ground
St. Mary's C. of E. Prim. Sch.
PRESTWICH
St. Mary's Park
Prestwich Pk.
Claremont Home for the Aged
Thorndyke Cen.
Manor Pk. Nursing Home
High Sch.
Nazareth Ho.
Brooklands
Playing Field
Mosque
Crumpsall
M8
M25
Barnfield Park
Yesoiday Hatorah Sch.
Police Training College
Sedgley Park
Sedgley Pk. Prim. Sch.
Hilton Park
PRESTWICH GOLF COURSE
Club House
Manchester Jewish Home for the Aged
Rainsough
BURY
SALFORD
Kersal Moor Recreation Ground
Grave Yard
St. Philip's R.C. Prim. Sch.
Salford
M7
Prim. Sch.
Broughton Ho.
Broughton Park
Clowes Park
Football Grd.
Bowl Grn.
NEVILE
KING'S ROAD
ALBERT AVENUE
CAVENDISH ROAD
SINGLETON ROAD
GEORGE
MOUNTHEATH IND. PK.
SEDGLEY PK. TRADING EST.

22
Meadow Croft Fold
Broom Hill
MOSS HALL RD.
Birch Service Area
WHITTLE
Whittle Fold
M62
The Grange
Heywood
Whittle Brook
Brick House
Roe Barn
OL10
Moss Side
Unsworth Moss
M62 - MOTORWAY
Sand Field
Green Lane End
Langley
Mere Brook
Simon Lane Farm
SIMON LA.
HEYWOOD OLD ROAD
Brook
Mill
M24
ROCHDALE
BURY
M62
19
LANE
Egypt Farm
Lower Droughts Farm
Council Depot
Golf Driving Range
EGYPT
Bowlee
Junction 4 (M66)
M66
A6045
Manchester
Cambashaw
SIMISTER LANE
Toll
Simister
SIMISTER GRN.
JOHN ST.
DROUGHTS LA.
WILTON CT.
MT. PLEASANT
CROFT AV
NUTT LANE
Mellowdew's
ELLIS LANE
Rhodes Green
Reservoir
BOARDMAN
FARM LA
Whitehouse Farm
Nut Lane Farm
Mount Pleasant Farm
SIMISTER
Junction 18 (M60)
CORDAY LA.
Clark's Cross
Heywood Farm
Parkwood Cottages
OLD HALL LANE
M25
Bradley Hall Farm
M60 - MOTORWAY
Little Nook
Rhodes
Motorworld Supermarkets
BRIDLE ROAD
OLD HALL LANE
Dog Kennel Cottages
Fish Pond
M60
HANGING BIRCH
A576
MANCHESTER OLD RD.
Junction 19
BAGULEY CRES.
MIDDLETON RD.
KELVIN AV.
LISTER RD.
Heaton Park Reservoir
Oak Croft Hill
HEATON PARK GOLF COURSE
Radio Station
Youth Centre
Res.
83
84
08
07
06
405
A
B
C
D
1
2
3
4
5
6

INDEX

Including Streets, Places & Areas, Hospitals & Hospices, Industrial Estates, Selected Flats & Walkways and Selected Places of Interest.

HOW TO USE THIS INDEX

1. Each street name is followed by its Posttown or Postal Locality and then by its map reference; e.g. Abbey Clo. *Rad*....6E **13** is in the Radcliffe Postal Locality and is to be found in square 6E on page **13**. The page number being shown in bold type.

2. A strict alphabetical order is followed in which Av., Rd., St., etc. (though abbreviated) are read in full and as part of the street name; e.g. Ashby Gro. appears after Ashbrook Clo. but before Ashcombe Dri.

3. Streets and a selection of flats and walkways too small to be shown on the maps, appear in the index in *Italics* with the thoroughfare to which it is connected shown in brackets; e.g. *Ashlands Clo. Rams....3F* ***3*** *(off Water La.)*

4. Places and areas are shown in the index in **blue type** and the map reference is to the actual map square in which the town centre or area is located and not to the place name shown on the map; e.g. **Ainsworth 2C 12**

5. An example of a selected place of interest is Burrs Country Pk. ...3B **10**

6. An example of a hospital or hospice is BEALEY COMMUNITY HOSPITAL....1B **18**

GENERAL ABBREVIATIONS

All : Alley
App : Approach
Arc : Arcade
Av : Avenue
Bk : Back
Boulevd : Boulevard
Bri : Bridge
B'way : Broadway
Bldgs : Buildings
Bus : Business
Cvn : Caravan
Cen : Centre
Chu : Church
Chyd : Churchyard
Circ : Circle
Cir : Circus
Clo : Close
Comn : Common
Cotts : Cottages
Ct : Court
Cres : Crescent
Cft : Croft
Dri : Drive
E : East
Embkmt : Embankment
Est : Estate
Fld : Field
Gdns : Gardens
Gth : Garth
Ga : Gate
Gt : Great
Grn : Green
Gro : Grove
Ho : House
Ind : Industrial
Info : Information
Junct : Junction
La : Lane
Lit : Little
Lwr : Lower
Mc : Mac
Mnr : Manor
Mans : Mansions
Mkt : Market
Mdw : Meadow
M : Mews
Mt : Mount
Mus : Museum
N : North
Pal : Palace
Pde : Parade
Pk : Park
Pas : Passage
Pl : Place
Quad : Quadrant
Res : Residential
Ri : Rise
Rd : Road
Shop : Shopping
S : South
Sq : Square
Sta : Station
St. : Street
Ter : Terrace
Trad : Trading
Up : Upper
Va : Vale
Vw : View
Vs : Villas
Vis : Visitors
Wlk : Walk
W : West
Yd : Yard

POSTTOWN AND POSTAL LOCALITY ABBREVIATIONS

Aff : Affetside
A'wth : Ainsworth
Bolt : Bolton
Brad F : Bradley Fold
Brei : Breightmet
Bury : Bury
Elton : Elton
Farn : Farnworth
G'mnt : Greenmount
Har : Harwood
Has : Haslingden
Hawk : Hawkshaw
Heap B : Heap Bridge
Heyw : Heywood
Hey D : Heywood Distribution Pk.
Holc : Holcombe
Kear : Kearsley
L Lev : Little Lever
Midd : Middleton
P'wich : Prestwich
Rad : Radcliffe
Rams : Ramsbottom
Roch : Rochdale
Ross : Rossendale
Salf : Salford
S'seat : Summerseat
Swin : Swinton
T'ton : Tottington
Tur : Turton
Uns : Unsworth
Walm : Walmersley
Wals : Walsden
W'fld : Whitefield

A

Abbey Clo. *Rad* 6E **13**
Abbey Ct. *Rad* 1E **17**
Abbey Dri. *Bury* 2G **13**
Abbey Way. *Rad* 2G **17**
Abden St. *Rad* 2G **17**
Abingdon Av. *W'fld* 3D **18**
Abingdon Clo. *W'fld* 3D **18**
Acorn Clo. *W'fld* 1D **20**
Acre Clo. *Rams* 2F **3**
Acresbrook Av. *T'ton* 4F **9**
Acresbrook Wlk. *T'ton* 4F **9**
Acres St. *T'ton* 4F **9**
Acre St. *Rad* 2E **17**
Acre Vw. *Rams* 3F **3**
Ada St. *Rams* 2H **5**
Adelaide St. *Rams* 3G **5**
Adelphi St. *Rad* 6F **13**
Adlington Clo. *Bury* 2G **13**
Affetside **1B 8**
Affetside Dri. *Bury* 1E **13**
Affleck Av. *Rad* 5A **16**
Agecroft Rd. *Swin* 6D **20**
Agecroft Rd. E. *P'wich* 5E **21**
Agecroft Rd. W. *P'wich* 5D **20**
Ainsdale Av. *Bury* 1H **13**
Ainsdale Av. *Salf* 6H **21**
Ainsworth **2C 12**
Ainsworth Hall Rd. *Bolt & A'wth* 4B **12**
Ainsworth Rd. *Bury* 2F **13**
Ainsworth Rd. *L Lev* 1A **16**
Ainsworth Rd. *Rad* 5F **13**
Aintree Rd. *L Lev* 3A **16**
Aitken Clo. *Rams* 2H **5**
Ajax Dri. *Bury* 2D **18**
Ajax St. *Rams* 2H **5**
Albany Dri. *Bury* 4D **14**
Alba St. *Holc* 1G **5**
Albert Av. *P'wich* 6G **21**
Albert Clo. *W'fld* 5E **19**
Albert Clo. Trad. Est. *W'fld* 5E **19**
Albert Pl. *W'fld* 4F **19**
Albert Rd. *W'fld* 5E **19**
Albert St. *Bury* 1E **15**
Albert St. *L Lev* 2B **16**
Albert St. *P'wich* 3G **21**
Albert St. *Rad* 2H **17**
Albert St. *Rams* 1H **5**
Albion Ct. *Bury* 1B **14**
Albion Pl. *P'wich* 3E **21**
Albion St. *Bury* 1B **14**
Albion St. *Kear* 6A **16**
Albion St. *Rad* 4H **17**
Alcester Clo. *Bury* 6H **9**
Alden Clo. *W'fld* 5E **19**
Alden Rd. *Ross* 1A **2**
Alder Av. *Bury* 6G **11**
Alder Clo. *Bury* 1A **14**
Alderway. *Rams* 4E **3**
Alderwood Gro. *Rams* 1F **3**
Aldford Gro. *Brad F* 6B **12**
Alexander Dri. *Bury* 4E **19**
Alexandra Av. *W'fld* 5E **19**
Alexandra Rd. *Kear* 6A **16**
Alexandra Rd. *Rad* 5A **16**
Alfred St. *Bury* 3E **15**
Alfred St. *Farn* 5A **16**
Alfred St. *Rams* 2H **5**
Alkrington Clo. *Bury* 3E **19**
Allandale Ct. *Salf* 6H **21**
Allendale Dri. *Bury* 2E **19**
Allen St. *Bury* 6A **10**
Allen St. *L Lev* 2A **16**
Allen St. *Rad* 2E **17**
(in two parts)
Alma St. *L Lev* 2B **16**
Alma St. *Rad* 6F **13**
Almond Av. *Bury* 6G **11**
Alnwick Dri. *Bury* 6E **15**
Alpha St. *Rad* 1F **17**
Alston St. *Bury* 5A **10**
Alston Wlk. *Midd* 3D **22**
Altham Clo. *Bury* 4B **14**
Alton Clo. *Bury* 6E **15**
Alt Wlk. *W'fld* 3G **19**
Alum Cres. *Bury* 2E **19**
Ampleforth Gdns. *Rad* 6E **13**
Anderton Clo. *Bury* 2F **13**
Andrew Clo. *G'mnt* 6F **5**
Andrew Clo. *Rad* 4A **18**
Andrew St. *Bury* 1E **15**
Anfield Clo. *Bury* 2F **19**
Angouleme Retail Pk. *Bury* 1D **14**
Angouleme Way. *Bury* 1C **14**
Annecy Clo. *Bury* 5H **9**
Annie St. *Rams* 3G **5**
Apollo Av. *Bury* 2D **18**
Appleby Clo. *Bury* 1F **13**
Appleby Gdns. *Bury* 2D **18**
Arbour Clo. *Bury* 3C **10**
Arden Clo. *Bury* 3C **14**
Ardent Way. *P'wich* 6F **21**
Argyle Av. *W'fld* 5E **19**
Argyle St. *Bury* 5D **10**
Arley Av. *Bury* 3C **10**
Arley St. *Rad* 4H **17**
Arlington Av. *P'wich* 5G **21**
Arlington Clo. *Bury* 5A **6**
Arran Gro. *Rad* 6E **13**
Arrowhill Rd. *Rad* 3F **13**
Arthur La. *Bolt & A'wth* 6A **8**
Arthur St. *Bury* 1A **14**
Arthur St. *L Lev* 2B **16**
Arthur St. *P'wich* 3D **20**
Arundel Av. *W'fld* 6F **19**
Arundel Clo. *Bury* 3A **10**
Ascot Mdw. *Bury* 3C **14**
Ascot Rd. *L Lev* 2A **16**
Ashborne Dri. *Bury* 5B **6**

Ashbourne Gro. W'fld 4B 18
Ashbrook Clo. W'fld 5F 19
Ashby Gro. W'fld 6F 19
Ashcombe Dri. Bolt 5A 12
Ashcombe Dri. Rad 6D 12
Ashes Dri. Bolt 3A 12
Ashford Clo. Bury 2H 13
Ash Gro. Har 6A 8
Ash Gro. P'wich 1E 21
Ash Gro. Rams 4F 5
Ash Gro. T'ton 4G 9
Ashington Dri. Bury 2F 13
Ashlands Clo. Rams 3F 3 (off Water La.)
Ashley M. W'fld 6F 19
Ashlor St. Bury 2C 14
Ash St. Bury 1E 15
Ashton St. L Lev 2B 16
Ashurst Clo. Bolt 6A 8
Ashwood. Rad 6B 16
Ashwood Av. Rams 6F 3
Ashwood Dri. Bury 3H 9
Ashworth Av. L Lev 2C 16
Ashworth Ct. Rad 1A 18
Ashworth Rd. Roch & Heyw 4H 7
Ashworth St. Bury 6A 10 (in two parts)
Ashworth St. Rad 1B 18
Astbury St. Rad 4H 17
Astley Hill Dri. Rams 3A 6
Atherstone Clo. Bury 5A 10
Athlone Av. Bury 5D 10
Athol St. Rams 6E 3
Audlum Ct. Bury 1E 15
Austen Av. Bury 5D 14
Austin St. Bury 4C 10
Avallon Clo. T'ton 2F 9
Avenue, The. Bury 4D 10
Aviemore Clo. Rams 5G 5
Avon Cotts. P'wich 2C 20
Avondale Av. Bury 5C 10
Avondale Dri. Rams 5F 5
Avondale Rd. W'fld 4C 18
Avon Dri. Bury 1D 10

B

Bk. Ainsworth Rd. Bury 1A 14 (off Stephen St.)
Bk. Ainsworth Rd. N. Bury 1H 13 (off Ainsworth Rd., in two parts)
Bk. Ainsworth Rd. N. Bury 1A 14 (off Cameron St.)
Bk. Albert St. Bury 1E 15 (off Albert St.)
Bk. Albion Pl. Bury 5D 10
Bk. Alfred St. Rams 2H 5 (off Mary St.)
Bk. Argyle St. Bury 4D 10
Bk. Ash St. Bury 1F 15 (off Ash St.)
Bk. Ashworth St. Bury 6A 10
Bk. Belbeck St. Bury 1A 14 (off Belbeck St.)
Bk. Birch St. Bury 6D 10 (in two parts)
Bk. Bolton Rd. S. Bury 1A 14
Bk. Bolton St. S. Bury 1C 14 (off Bolton St.)
Bk. Bridge St. Rams 1A 6
Bk. Brierley St. Bury 3C 14
Bk. Broad St. Bury 1C 14 (off Broad St.)
Bk. Brook St. N. Bury 5E 11 (in two parts)
Bk. Burnley Rd. Bury 1C 10
Bk. Bury Rd. S. Bolt 4A 12 (in two parts)
Bk. Byrom St. Bury 5H 9 (off Byrom St.)
Bk. Byrom St. S. Bury 5H 9
Bk. Canning St. Bury 5D 10
Bk. Cateaton St. Bury 6D 10
Bk. Chapel St. T'ton 2F 9
Bk. Chesham Rd. S. Bury 5E 11 (off Chesham Rd.)
Bk. Chesham Rd. S. Bury 5E 11 (off Greenbrook St.)
Bk. Chester St. Bury 5E 11 (off Chester St.)
Bk. Clifton St. Bury 5D 10
Bk. Crostons Rd. Bury 6B 10
Bk. Dashwood Rd. P'wich 2E 21
Bk. Deal St. Bury 1F 15 (off Deal St.)
Bk. Delamere St. S. Bury 4E 11 (off Delamere St.)
Bk. Denton St. Bury 5D 10
Bk. Derby St. Bury 1D 14 (off Derby St.)
Bk. Devon St. N. Bury 3C 14
Bk. Devon St. S. Bury 3D 14
Bk. Deyne Av. P'wich 3F 21
Bk. Dumers La. Rad 6C 14
Bk. East St. Bury 2D 14 (off East St., in two parts)
Bk. Eldon St. Bury 5D 10
Bk. Elm St. Bury 1F 15 (off Elm St.)
Bk. Federation St. P'wich 2D 20
Bk. Fletcher St. Rad 5B 16
Bk. Frank St. Bury 2D 14 (off Frank St.)
Bk. Garston St. Bury 5E 11 (off Garston St.)
Bk. Georgiana St. Bury 1C 14 (off Kay Garden Shop. Cen.)
Bk. Georgiana St. W. Bury 2D 14 (off Georgiana St.)
Bk. Gigg La. Bury 3D 14
Bk. Glenboro Av. Bury 1A 14 (off Glenboro Av.)
Bk. Goodlad St. Bury 5H 9 (off Goodlad St.)
Bk. Grosvenor St. Bury 3D 14
Bk. Hanson St. Bury 5D 10
Bk. Harvey St. Bury 6A 10
Bk. Haslam St. Bury 5E 11
Bk. Haymarket St. Bury 1C 14 (off Haymarket St.)
Bk. Heywood St. Bury 2E 15
Bk. Hilton St. Bury 5D 10
Bk. Holly St. Bury 1E 15 (off Holly St., in two parts)
Bk. Holly St. S. Bury 1E 15 (off Holly St.)
Bk. Horbury St. Bury 1A 14 (off Horbury Dri.)
Bk. Hornby St. Bury 4D 10
Bk. Hornby St. W. Bury 6D 10 (off Hornby St.)
Bk. Horne St. N. Bury 3C 14
Bk. Horne St. S. Bury 3C 14
Bk. Hulme St. Bury 6B 10 (off Hulme St.)
Bk. Huntley Mt. Rd. Bury 5F 11
Bk. Ingham St. Bury 2E 15
Bk. Ingham St. E. Bury 2E 15 (off Ingham St.)
Bk. James St. L Lev 2B 16
Bk. Knight St. Bury 1A 14 (off Knight St.)
Bk. Knowsley St. Bury 1C 14 (off Angouleme Way)
Bk. Knowsley St. Bury 2C 14 (off Knowsley St.)
Bk. Linton Av. Bury 4D 10 (off Linton Av.)
Bk. Lonsdale Rd. Bury 1A 14 (off Lonsdale St.)
Bk. Lucas St. Bury 6E 11
Bk. Malvern Av. Bury 4D 10 (off Malvern Av.)
Bk. Manchester Old Rd. Bury 2C 14
Bk. Manchester Rd. Bury 1C 14 (off Manchester Rd.)
Bk. Manchester Rd. E. Bury 3C 14 (off Manchester Rd.)
Bk. Manchester Rd. W. Bury 6D 14 (Manchester Rd.)
Bk. Manchester Rd. W. Bury 3C 14 (Olivant St.)
Bk. Manor St. Bury 1E 15
Bk. Market St. Rad 6B 16
Bk. Market St. W. Bury 1C 14 (off Market St.)
Bk. Merton St. Bury 6B 10
Bk. Millett St. Bury 1B 14 (off Millett St.)
Bk. Milner Av. Bury 4D 10 (off Milner Av.)
Bk. Monmouth St. Bury 4D 10
Bk. Moorgate. Bury 6E 11 (off Moorgate)
Bk. Mostyn Av. Bury 4D 10 (off Mostyn Av.)
Bk. Myrtle St. S. Bury 1F 15 (off Myrtle St. S.)
Bk. Nelson St. N. Bury 3D 14
Bk. Nelson St. S. Bury 3D 14
Bk. Newbold St. Bury 1A 14 (off Newbold St.)
Bk. New George St. Bury 6A 10
Bk. Oak St. Rad 4A 18 (off Oak St.)
Bk. Olive Bank. Bury 5H 9 (off Olive Bank)
Bk. Oram St. Bury 5E 11 (off Oram St.)
Bk. Parkhills Rd. Bury 2E 15
Bk. Parkhills Rd. N. Bury 3D 14
Bk. Parkhills Rd. S. Bury 3C 14
Bk. Parsons La. Bury 6D 10 (off Parsons La.)
Bk. Peers St. Bury 1A 14 (off Peers St.)
Bk. Peter St. Bury 6E 11 (off Peter St.)
Bk. Phoenix St. Bury 1C 14 (off Phoenix St.)
Bk. Porter St. Bury 5D 10
Bk. Prestbury Clo. Bury 2E 15
Bk. Rake St. Bury 5D 10
Bk. Raven St. Bury 5D 10 (off Raven St.)
Bk. Raymond Av. Bury 4D 10 (off Raymond Av.)
Bk. Regent St. Bury 5D 10 (off Regent St.)
Bk. Rochdale Old Rd. N. Bury 5H 11 (off Rectory La.)
Bk. Rochdale Old Rd. N. Bury 6G 11 (off Coppice St.)
Bk. Rochdale Old Rd. S. Bury 6G 11 (off Rochdale Old Rd.)
Bk. Rochdale Old Rd. S. Bury 6G 11 (off Topping Fold Rd.)
Bk. Rochdale Old Rd. S. Bury 6G 11 (Cuckoo La.)
Bk. Rochdale Rd. Bury 1E 15 (off Rochdale Rd.)
Bk. Rochdale Rd. Bury 1F 15 (off Deal St.)
Bk. Royal Av. Bury 4D 10 (off Royal Av.)
Bk. St Anne's St. Bury 5D 10
Bk. St Mary's Pl. Bury 1C 14 (off St Mary's Pl.)
Bk. Salford St. Bury 5E 11 (off Salford St.)
Bk. Sankey St. Bury 1B 14 (off Sankey St.)
Bk. Shepard St. Bury 1D 14
Bk. Silver St. Bury 1C 14 (off Silver St.)
Bk. Spring St. E. Bury 2D 14 (off Spring St.)
Bk. Spring St. W. Bury 2D 14
Bk. Square St. Rams 1A 6
Bk. Stanley St. Rams 2H 5 (off Buchanan St.)
Bk. Stephen St. Bury 1A 14 (off Stephen St.)
Back St. P'wich 2D 20
Bk. Teak St. Bury 1F 15
Bk. Tenterden St. Bury 1B 14 (off Tenterden St.)
Bk. Tenterden St. Bury 1C 14 (off St Mary's Pl.)
Bk. Tottington Rd. Bury 5H 9 (off Tottington Rd.)
Bk. Tottington Rd. N. Bury 5A 10
Bk. Tottington Rd. S. Bury 5A 10
Bk. Vernon St. Bury 5D 10
Bk. Walmersley Rd. E. Bury 4D 10 (off Mostyn Av.)
Bk. Walmersley Rd. E. Bury 5D 10 (Chesham Rd.)
Bk. Walmersley Rd. E. Bury 3D 10 (Walmersley Rd.)
Bk. Walmersley Rd. W. Bury 2D 10 (Limefield Brow)
Bk. Walmersley Rd. W. Bury 5D 10 (Russell St.)
Bk. Walshaw Rd. N. Bury 6A 10
Bk. Walshaw Rd. S. Bury 6A 10
Bk. Wash La. S. Bury 1F 15 (off Wash La.)
Bk. Wellington Rd. S. Bury 3C 14 (off Wellington Rd.)
Bk. Wells St. Bury 2C 14 (off Wells St.)
Badger St. Bury 6D 10
Baguley Cres. Midd 6C 22
Baguley Dri. Bury 3E 19
Bailey St. P'wich 2G 21
Baillie St. Rad 6C 14
Baker St. Rams 2H 5
Balcombe Clo. Bury 2A 10
Baldingstone. 6D 6
Balmoral Av. L Lev 2A 16
Balmoral Av. W'fld 6E 19
Balmoral Clo. Bury 6E 15
Balmoral Clo. G'mnt 6G 5
Balmoral Grange. P'wich 4H 21
Balm St. Rams 3G 5 (in two parts)
Bamburgh Clo. Rad 6C 12
Bambury St. Bury 6D 10
Bamford Clo. Bury 1G 11
Bamford Rd. Rams 5G 3
Bankfield. Bolt 3C 12
Bankfield Clo. A'wth 2C 12
Bankfield M. Bury 4C 14
Bank Fld. St. Rad 6D 16
Bank Hall Clo. Bury 1G 13
Bankhouse Rd. Bury 4A 10
Bank Lane. 6G 3
Bank Pl. Bury 6A 10
Bankside Av. Rad 1B 18
Bank St. Bury 1C 14
Bank St. Rad 3H 17
Bank St. Rams 6G 3
Bank St. Wals 5F 9
Bank St. W'fld 4C 18
Bank Top. Bury 6D 6
Bank Top. Rad 5H 13
Bank Top Vw. Kear 6A 16
Bannerman Av. P'wich 4F 21
Barcroft St. Bury 6D 10
Barker St. Bury 2C 14
Barlow Fold. 6D 14
Barlow Fold. Bury 6D 14
Barlow Fold Clo. Bury 6D 14
Barlow St. Bury 6D 10
Barlow St. Rad 2H 17
Barnard Av. W'fld 6F 19
Barnbrook St. Bury 6E 11
Barnes Clo. Rams 4G 5
Barnes Ter. Kear 6A 16
Barnfield Clo. Rad 2E 17
Barnhill Av. P'wich 5F 21
Barnhill Dri. P'wich 5F 21
Barnhill Rd. P'wich 4E 21
Barnsdale Clo. A'wth 3C 12
Barnside Clo. Bury 1C 10
Barn St. Rad 1A 18
Barn St. W'fld 6D 18
Baron St. Bury 2B 14 (in three parts)
Baron Wlk. L Lev 2C 16
Barrett Av. Kear 6A 16
Barrett Ct. Bury 1E 15
Barwood Lee. Rams 2A 6
Bass La. Bury 4B 6
Battersby St. Bury 6H 11
Baybutt St. Rad 2A 18
Baytree Gro. Rams 5H 5
Bealey Av. Rad 6C 14
Bealey Clo. Rad 1B 18

BEALEY COMMUNITY HOSPITAL.
. . . . 1B 18
Bealey Dri. *Bury* 4B 14
Bealey Ind. Est. *Rad* 6B 14
Bealey Row. *Rad*. 1A 18
Beal Wlk. *W'fld* 5G 19
Beaufort St. *P'wich* 3G 21
Beauly Clo. *Rams* 5G 5
Beaver Dri. *Bury* 1F 19
Beckenham Clo. *Bury* 2H 13
Beckley Av. *P'wich* 5E 21
Bedford Ct. *Salf* 6H 21
Bedford St. *Bury*. 5E 11
Bedford St. *P'wich* 2G 21
Bedlam Grn. *Bury*. 1D 14
(off Butcher La.)
Beechacre. *Rams* 2B 6
Beech Av. *L Lev* 3B 16
Beech Av. *Rad*. 5F 17
Beech Av. *W'fld* 6D 18
Beech Clo. *P'wich* 4G 21
Beechcroft. *P'wich* 4G 21
Beechfield Av. *Rad* 4A 18
Beechfield Ct. *Bury* 4C 14
Beechfield Dri. *Bury* 4C 14
Beech Gro. *G'mnt*. 6G 5
Beech Gro. Clo. *Bury*. 5F 11
Beech St. *Bury* 1F 15
Beech St. *Rad*. 4A 18
Beech St. *S'seat* 4A 6
Beech Tree Bank. *P'wich* . . . 3E 21
Beechwood. *Bury* 5E 15
Beechwood Av. *Rams* 1B 6
Beechwood Ct. *P'wich* 4H 21
Beechwood Ct. *T'ton* 4H 9
Beechwood Rd. *P'wich* 4H 21
Beedon Av. *L Lev* 1A 16
Beeston Gro. *W'fld* 6F 19
Belbeck St. *Bury* 1A 14
Belfield Rd. *P'wich* 4H 21
Belgrave Bungalows. *Rad* . . . 1F 17
Belgrave Clo. *Rad*. 1G 17
Belgrave Dri. *Rad* 1G 17
Belgrave St. *Rad* 1F 17
Bellerby Clo. *W'fld* 5C 18
Belle Vue Ter. *Bury* 2C 14
Bellingham Clo. *Bury*. 1F 13
Bell La. *Bury*. 6E 11
Belmont Dri. *Bury*. 2G 13
Belmont Rd. *Rad* 4G 17
Belmont Vw. *Bolt* 6A 8
Belroy Ct. *P'wich*. 4F 21
Belvedere Av. *G'mnt* 6G 5
Belvedere Ct. *P'wich* 4E 21
Bennett St. *Rad* 1D 16
Benson St. *Bury* 2E 15
Bentfold Dri. *Bury* 4E 19
Bentham Clo. *Bury* 6E 9
Bent La. *P'wich* 3G 21
Bentley Clo. *Rad*. 1B 18
Bentley Hall Rd. *Bury* 5C 8
Bentley La. *Bury*. 6D 6
Berkeley Cres. *Rad* 6C 12
Berkshire Ct. *Bury* 3D 14
Berwick Av. *W'fld* 6E 19
Beryl Av. *T'ton* 2F 9
Besses o' th' Barn. 6E 19
Betley St. *Rad*. 1A 18
Beverley Clo. *W'fld* 4F 19
Beverley Rd. *L Lev* 2A 16
Bevis Green. 1C 10
Bevis Grn. *Bury* 1D 10
Bexhill Clo. *L Lev* 2C 16
Bexley Dri. *Bury* 2H 13
Bibby St. *Bury* 6D 14
Bideford Dri. *Bolt* 5A 12
Bidston Clo. *Bury* 1G 13
Billberry Clo. *W'fld* 5F 19
Billington Rd. *Swin*. 6C 20
Bill La. *W'fld*. 5D 18
Birch Av. *T'ton* 4G 9
Birch Av. *W'fld* 1D 20
Birchen Bower Dri. *T'ton* . . . 4F 9
Birchen Bower Wlk. *T'ton* . . 4F 9
Birchfield Av. *Bury* 2H 15
Birch Gro. *P'wich* 1E 21
Birch Gro. *Rams*. 4G 5
Birch Lea Clo. *Bury*. 4D 14
Birch St. *Bury* 5D 10
Birch St. *Rad*. 6C 14
Birkdale Av. *W'fld* 1B 20
Birkdale Dri. *Bury*. 1H 13

Birkinbrook Clo. *W'fld*. 4E 19
Birks Dri. *Bury* 3H 9
Birley St. *Bury* 4D 10
Birtle Moor. *Bury*. 4H 11
Birtle Rd. *Bury* 1H 11
Bishops Rd. *P'wich* 4G 21
Bispham Clo. *Bury* 2F 13
Blackburn Rd.
Has & Rams 1F 3
Blackburn St. *P'wich*. 3G 21
Blackburn St. *Rad*. 2G 17
Blackfield La. *Salf*. 6G 21
(in two parts)
Blackford Av. *Bury* 1D 18
Blackford Bridge. 1D 18
Black Lane. 5F 13
Blackley Clo. *Bury* 3F 19
Blackley Clo. *Midd* 6D 22
Black Moss Clo. *Rad*. 2D 16
Blackrod Dri. *Bury*. 2F 13
Blandford Clo. *Bury* 4B 10
Bland Rd. *P'wich* 5F 21
Bland St. *Bury* 6D 10
Bleackley St. *Bury*. 5A 10
Bleakholt Rd. *Rams* 4H 3
Bleakley St. *W'fld* 4C 18
Bleasdale Clo. *Bury*. 2E 19
Blenheim Clo. *Bury* 6E 15
Blenheim Rd. Est. *Bolt* 5A 12
Blenmar Clo. *Rad* 6A 14
Bloomfield Dri. *Bury* 2F 19
Bloom St. *Rams* 3G 5
Blundell Clo. *Bury* 2F 19
Boardman La. *Midd* 5D 22
Bodiam Rd. *G'mnt* 6F 5
Body Work Gymnasium. 2F 17
Bold St. *Bury* 6E 11
Bolholt. 5G 9
Bolholt Ind. Pk. *Bury* 5G 9
Bolholt Ter. *Bury* 5H 9
Bollin Wlk. *W'fld* 3G 19
Bollin Way. *W'fld* 3G 19
Bolton Clo. *P'wich* 5D 20
Bolton Rd. *Bury* 3G 13
Bolton Rd. *Hawk*. 4B 4
Bolton Rd. *Kear* 6A 16
Bolton Rd. *Rad*. 1D 16
Bolton Rd. N. *Rams*. 4E 3
Bolton Rd. W. *Rams* 4F 5
Bolton St. *Bury* 1B 14
Bolton St. *Rad*. 2F 17
Bolton St. *Rams*. 2H 5
Bolton Tourist Info. Cen. 2A 16
Bond St. *Bury*. 1E 15
Bond St. *Rams*. 3G 3
Bonholt Ind. Est. *Bury* 5H 9
Bonny Brow St. *Midd* 6D 22
Booth Clibborn Ct. *Salf*. . . . 6H 21
Booth Clo. *T'ton* 4G 9
Boothfields. *Bury* 6A 10
Booth Hall Dri. *T'ton* 4F 9
Booth Rd. *L Lev* 3B 16
Boothroyden Clo. *Midd*. . . . 6D 22
(in two parts)
Boothroyden Rd. *M9* 6D 22
Boothroyden Rd. *Midd* 6D 22
(in two parts)
Booth St. *T'ton* 3F 9
Booth Way. *T'ton* 4E 9
Boothwood Stile. *Holc*. 4F 5
Borden Way. *Bury*. 5E 15
Bornmore Ind. Cen. *Bury* . . . 6A 10
Borough Av. *Rad*. 6B 14
Borrowdale Dri. *Bury*. 2E 19
Boscow Rd. *L Lev*. 3A 16
Bosworth Clo. *W'fld* 5G 19
Bottom o' th' Moor. *A'wth* . . 2B 12
Boulden Dri. *Bury* 4A 10
Boundary Dri. *Brad F* 6A 12
Boundary Ind. Est. *Bolt*. . . . 4A 12
Bournville Dri. *Bury* 1G 13
Bourton Clo. *Bury* 6H 9
Bower St. *Bury*. 6G 11
Bowes Clo. *Bury*. 4H 9
Bowker St. *Rad* 2G 17
Bowland Clo. *Bury* 6E 9
Bowlee. 4D 22
Bowlee Clo. *Bury* 3E 19
Bowling Grn. *Rams* 2F 3
Bowness Rd. *L Lev* 1A 16
Bowness Rd. *Midd* 4D 22
Bowstone Hill Rd. *Bolt* 4B 8

Box St. *Rams* 1B 6
Bradbury St. *Bury* 6E 15
Bradbury St. *Rad* 3G 17
Bradford Ter. *Bury* 2B 14
Bradley Dri. *Bury*. 3F 19
Bradley Fold Cotts. *Bolt*. . . . 5B 12
Bradley Fold Rd.
A'wth & Bolt 3C 12
Bradley La. *Bolt* 6B 12
Bradshaw Av. *W'fld* 3C 18
Bradshaw Rd. *T'ton* 3C 8
Bradshaw St. *Rad* 2F 17
Braemar Dri. *Bury*. 1H 15
Braewood Clo. *Bury* 6G 11
Bramall Clo. *Bury* 3F 19
Bramhall Av. *Bolt* 5A 8
Bramley Dri. *Bury* 3A 10
Brammay Dri. *T'ton*. 3E 9
Bramworth Av. *Rams* 1H 5
Branch Clo. *Bury* 6B 10
Brandle Av. *Bury*. 5A 10
Brandlehow Dri. *Midd*. 3D 22
Brandlesholme. 3A 10
Brandlesholme Rd.
G'mnt & Bury 6F 5
Brandon Clo. *Bury* 4B 10
Brandram Rd. *P'wich* 3G 21
Branksome Av. *P'wich* 3E 21
Brantfell Gro. *Bolt* 3A 12
Brantwood Dri. *Bolt* 3A 12
Brecon Dri. *Bury* 4C 14
Breeze Mt. *P'wich* 5F 21
Breightmet Dri. *Bolt* 5A 12
Breightmet Fold. *Bolt* 3A 12
Breightmet Fold La. *Bolt* . . . 3A 12
Breightmet Ind. Est. *Bolt*. . . 3A 12
Brent Clo. *Brad F* 6B 12
Brentwood Ct. *P'wich* 4D 20
Brick St. *Bury*. 6E 11
Bridge Clo. *Rad* 3H 17
Bridgefield Dri. *Bury*. 1G 15
Bridgefield St. *Rad* 2H 17
Bridgefield Wlk. *Rad*. 2H 17
Bri. Hall Dri. *Bury* 6G 11
(in two parts)
Bri. Hall Fold. *Bury* 1G 15
Bri. Hall Ind. Est. *Heap B* . . . 1G 15
Bri. Hall La. *Bury* 1G 15
Bridgemere Clo. *Rad* 6F 13
Bridge Mills. *Rams* 2G 3
Bridge Rd. *Bury* 2B 14
Bridges Av. *Bury* 5D 14
Bridge St. *Bury* 5E 11
Bridge St. *Rad* 5B 16
Bridge St. *Rams* 1A 6
Bridge Ter. *Bury* 1G 15
Bridge Trad. Est. *Bury*. 1B 14
Bridgewater Clo. *W'fld* 5E 19
Bridle Fold. *Rad* 2H 17
Bridle Rd. *P'wich* 6H 19
Brierfield Dri. *Bury* 1C 10
Brierley Av. *W'fld* 3C 18
Brierley St. *Bury*. 3C 14
Brighton St. *Bury* 6F 11
Bright St. *Bury*. 6E 11
Bright St. *Rad*. 1A 18
Brinks La. *Bolt* 5A 12
Brinksworth Clo. *Bolt* 3A 12
Briscoe Wlk. *Midd* 3D 22
Bristol Ct. *Salf* 6H 21
Britain St. *Bury* 5C 14
Britannia Clo. *Rad*. 2G 17
Broadbent Dri. *Bury* 1G 11
Broadhead Wlk. *W'fld*. 4F 19
Broadhurst St. *Rad* 6F 13
Broadlands Cres. *Hey D* 3H 15
Broadlands Way. *Hey D* 3H 15
Broad Oak La. *Bury* 6G 11
Broadoaks. *Bury* 6H 11
Broad Oak Ter. *Bury* 2G 11
Broadstone Clo. *P'wich* 4E 21
Broad St. *Bury* 1C 14
Brocklehurst Av. *Bury*. 2D 14
Brocton Ct. *Salf* 6H 21
Brodick Dri. *Bolt*. 5A 12
Bronte Av. *Bury* 5D 14
Brookbottom Rd. *Rad* 5F 13
Brook Clo. *W'fld* 5F 19
Brook Ct. *Salf*. 6G 21
Brookdene Rd. *Bury* 4E 19

Brook Dri. *W'fld* 5F 19
Brookfield. *P'wich* 3F 21
Brookfield Av. *Bolt* 2C 12
(in two parts)
Brookfield Clo. *P'wich* 3F 21
Brookfield Rd. *Bury* 1C 10
Brookfold La. *Bolt*. 4A 8
Brook Ho. Clo. *G'mnt* 1E 9
Brookhouse Mill La. *G'mnt* . . 1F 9
Brooklands Rd.
P'wich & M8. . . . . 5H 21
Brooklands Rd. *Rams*. 5G 5
Brook La. *Bury* 1E 19
(in two parts)
Brooklawn Dri. *P'wich* 1G 21
Brooks Av. *Rad* 5F 13
Brooksbottoms. 4A 6
Brooksbottoms Clo. *Rams* . . 3A 6
Brookshaw St. *Bury* 5D 10
(in two parts)
Brookside Clo. *Rams* 4G 5
Brookside Cres. *G'mnt* 6E 5
Brookside Dri. *Salf* 6H 21
Brookside Wlk. *Rad* 4E 13
Brooksmouth. *Bury* 1B 14
Brook St. *Bury* 5E 11
Brook St. *Kear* 6A 16
Brook St. *Rams* 2H 17
Brookthorpe Meadows.
Wals. 6G 9
Brookthorpe Rd. *Wals* 6G 9
Brookwater Clo. *T'ton* 3F 9
Broomfield Clo. *A'wth* 3C 12
Broom St. *Bury*. 1B 14
Broughton Park. 6H 21
Brownhills Clo. *T'ton* 4G 9
Browns Rd. *Brad F* 5B 12
Brown St. *Rad*. 5F 13
Brown St. *Rams* 2H 5
Brunswick St. *Bury* 6D 10
Bryngs Dri. *Bolt* 5A 8
Brynhall Clo. *Rad* 6E 13
Buchanan St. *Rams* 1H 5
Buckhurst Rd. *Bury*. 3E 7
(in two parts)
Buckingham Av. *W'fld* 6E 19
Buckingham Dri. *Bury*. 3H 13
Buckingham Rd. *P'wich*. . . . 5F 21
Buckle St. *Rad* 2G 17
Buckley La. *W'fld* 4C 20
Buckley St. *Bury*. 6D 10
Buckley Wells. 2B 14
Buller M. *Bury* 2H 13
Buller St. *Bury* 2H 13
Bullfinch Dri. *Bury*. 4F 11
Bull Hill Cres. *Rad* 5H 17
Bunkers Hill. *W'fld* 3B 20
Burghley Clo. *Rad*. 6B 12
Burghley Dri. *Rad* 6B 12
Burgundy Dri. *T'ton* 2F 9
Burndale Dri. *Bury* 2E 19
Burnley Rd. *Bury* 1C 10
(in two parts)
Burnley Rd. *Rams*. 1F 3
Burnmoor Rd. *Bolt* 3A 12
Burnsall Av. *W'fld* 5C 18
Burns Av. *Bury*. 5D 14
Burns Gdns. *P'wich* 4D 20
Burnside. *Rams* 3F 3
Burnside Clo. *Rad* 4F 13
Burrs. 3B 10
Burrs Activity Cen. 3B 10
Burrs Clo. *Bury* 3A 10
Burrs Country Pk. 3B 10
Burrs Lea Clo. *Bury* 3C 10
Burrswood Av. *Bury* 3C 10
Burton Av. *Wals* 5F 9
Bury. 1D 14
Bury and Bolton Rd. *Rad* . . . 4C 12
Bury & Rochdale Old Rd.
Bury & Heyw. 1H 11
Bury Art Gallery & Mus. 1C 14
(Moss St)
Bury Bus. Cen. *Bury* 6E 11
Bury Football Club. 4D 14
(Gigg La.)
BURY GENERAL HOSPITAL.
. . . . 3D 10
Bury Ground. 6B 10
BURY HOSPICE. 1B 18
Bury Ind. Est. *Bolt* 4A 12
Bury New Rd. *Brei* 4A 12

Bury New Rd.
   Bury & Heyw 1G **15**
Bury New Rd. *Rams* 1B **6**
Bury New Rd. *Salf* 5G **21**
Bury New Rd.
   W'fld & P'wich 4C **18**
Bury Old Rd. *A'wth* 2A **12**
Bury Old Rd. *Bury & Heyw* . . 2H **15**
Bury Old Rd. *P'wich & Salf* . . 4H **21**
Bury Old Rd. *Rams* 3H **3**
Bury Old Rd. *Walm* 2D **6**
   (in two parts)
Bury Old Rd.
   W'fld & P'wich 6D **18**
Bury Rd. *Bolt* 4A **12**
Bury Rd. *Rad* 1H **17**
Bury Rd. *Rams* 2F **3**
Bury Rd. *T'ton* 3F **9**
Bury St. *Rad* 1A **18**
Bury Tourist Info. Cen. 1C **14**
Bury Transport Mus. 1C **14**
Butcher La. *Bury* 1D **14**
Butler St. *Rams* 3G **5**
Buttermere Clo. *L Lev* 1A **16**
Buttermere Dri. *Rams* 6D **2**
Butterstile Av. *P'wich* 5D **20**
Butterstile Clo. *P'wich* 6D **20**
Butterstile La. *P'wich* 5D **20**
Butterworth St. *Rad* 1H **17**
Butt Hill Av. *P'wich* 4F **21**
Butt Hill Ct. *P'wich* 4F **21**
Butt Hill Dri. *P'wich* 4F **21**
Butt Hill Rd. *P'wich* 4F **21**
Buxton St. *Bury* 1A **14**
Bye Rd. *Rams* 6G **3**
Byland Gdns. *Rad* 1E **17**
Byrom St. *Bury* 5H **9**
Byron Av. *P'wich* 4D **20**
Byron Av. *Rad* 1D **16**
Byron Rd. *G'mnt* 5F **5**

C

Caernarvon Clo. *G'mnt* 6F **5**
Caister Av. *W'fld* 6E **19**
Calder Clo. *Bury* 1E **11**
Calder Cres. *W'fld* 3F **19**
Calder Wlk. *Midd* 3D **22**
Calder Wlk. *W'fld* 3F **19**
Calder Way. *W'fld* 3F **19**
Calderwood Clo. *T'ton* 3F **9**
Caldy Dri. *Rams* 4G **5**
Caledonia St. *Rad* 1A **18**
   (in two parts)
Calf Hey Clo. *Rad* 2D **16**
Callender St. *Rams* 1H **5**
Caltha St. *Rams* 1H **5**
Cambeck Clo. *W'fld* 4F **19**
Cambeck Wlk. *W'fld* 4E **19**
Camberley Clo. *T'ton* 4G **9**
Cambridge Dri. *L Lev* 1B **16**
Cambridge Gro. *W'fld* 5E **19**
Camden Clo. *A'wth* 2C **12**
Cameron Ho. *Bury* 1A **14**
Cameron St. *Bury* 1A **14**
Campbell Clo. *Wals* 5E **9**
Camp St. *Bury* 6A **10**
Cams Acre Clo. *Rad* 2E **17**
Cams La. *Rad* 3E **17**
   (in two parts)
Canal Side. *Bolt* 4A **16**
Candlestick Pk. *Bury* 5H **11**
Canning St. *Bury* 5D **10**
Cannon St. *Bury* 5E **11**
Cannon St. *Rad* 6F **13**
Cannon St. *Rams* 3G **5**
Cann St. *T'ton* 1D **8**
Canterbury Dri. *Bury* 5B **10**
Canterbury Dri. *P'wich* 5G **21**
Canute St. *Rad* 2E **17**
Cardigan Dri. *Bury* 4C **14**
Cardigan St. *Rad* 5F **13**
Carisbrook Av. *W'fld* 1E **21**
Carlford Gro. *L Lev* 4D **20**
Carlisle Clo. *L Lev* 3A **16**
Carlisle Clo. *W'fld* 6F **19**
Carlton Av. *P'wich* 5H **21**
Carlton Av. *W'fld* 4B **18**
Carlton Ct. *P'wich* 6E **21**
Carlton Dri. *P'wich* 5H **21**
Carlton St. *Bury* 3D **14**

Carlyle St. *Bury* 6B **10**
Carmona Dri. *P'wich* 3E **21**
Carnforth Dri. *G'mnt* 5G **5**
Carnoustie Dri. *Rams* 2H **5**
Carr. 6D **2**
Carr Av. *P'wich* 5D **20**
Carr Bank. 1D **10**
Carr Bank. *Rams* 6D **2**
Carr Bank Av. *Rams* 6D **2**
Carr Bank Dri. *Rams* 6D **2**
Carr Bank Rd. *Rams* 6D **2**
Carrbrook Ter. *Rad* 1H **17**
Carr Fold. *Rams* 6D **2**
Carrigart. *P'wich* 4F **21**
Carrock Wlk. *Midd* 4D **22**
Carron Gro. *Bolt* 4A **12**
Carrslea Clo. *Rad* 6E **13**
Carr St. *Rams* 6D **2**
Carrwood Hey. *Rams* 3G **5**
Cartmel Clo. *Bury* 2E **19**
Carver Av. *P'wich* 2G **21**
Castlebrook Clo. *Bury* 1F **19**
Castlecroft Rd. *Bury* 1C **14**
Castle Gro. *Rams* 5G **5**
Castle Hill Rd. *Bury* 3F **11**
   (in two parts)
Castle Hill Rd. *P'wich* 5H **21**
Castle Leisure Cen. 1C **14**
Castlemoor Av. *Salf* 6F **21**
Castle Rd. *Bury* 2G **19**
Castle St. *Bury* 1C **14**
Castle St. *S'seat* 5B **6**
Castleton Rd. *Salf* 6H **21**
Cateaton St. *Bury* 6D **10**
Catherine Rd. *M8* 6H **21**
Catherine St. *Bury* 5C **14**
Caton Clo. *Bury* 3C **14**
Cato St. *Rams* 3G **5**
Catterick Dri. *L Lev* 2A **16**
Cavendish Av. *Swin* 4A **20**
Cavendish Ct. *Salf* 6H **21**
Cavendish Rd. *Salf* 6G **21**
Cawley Av. *P'wich* 5D **20**
Cecil St. *Bury* 2D **14**
Cedar Av. *L Lev* 3B **16**
Cedar Av. *W'fld* 1D **20**
Cedar Cres. *Rams* 6E **3**
Cedar Gro. *P'wich* 1E **21**
Cedar St. *Rams* 6E **11**
   (in two parts)
Cemetery La. *Bury* 3D **14**
Cemetery Rd. *Rad* 1F **17**
   (in two parts)
Cemetery Rd. *Rams* 3G **5**
Central Av. *Bury* 4B **14**
Central Av. *Rams* 3F **3**
Central Av. *Swin* 5B **20**
Central Dri. *Bury* 1D **10**
Central St. *Rams* 1H **5**
Chadderton Dri. *Bury* 3E **19**
Chadwick Fold. *Bury* 1D **10**
Chadwick St. *Bury* 1G **11**
Chadwick St. *L Lev* 2B **16**
Chaffinch Dri. *Bury* 5G **11**
Chamberhill St. *Bury* 6C **10**
Chandos Rd. *P'wich* 5F **21**
Chantler's Av. *Bury* 2G **13**
Chantler's St. *Bury* 1G **13**
Chapel Clo. *Uns* 1F **19**
Chapel Field. 4A **18**
Chapel Fld. *Rad* 4A **18**
Chapel Gdns. *G'mnt* 6D **4**
Chapel Gro. *Rad* 5G **17**
Chapel La. *Holc* 1G **5**
Chapel Rd. *P'wich* 6D **20**
Chapel St. *Bury* 1D **14**
Chapel St. *L Lev* 2B **16**
Chapel St. *Midd* 6D **22**
Chapel St. *P'wich* 3E **21**
Chapel St. *Rad* 6B **16**
Chapel St. *T'ton* 2E **9**
Chapeltown Rd. *Rad* 4G **17**
Chapel Wlk. *Midd* 6D **22**
Chapel Wlk. *P'wich* 6E **21**
Chapel Wlk. *W'fld* 4F **19**
Chard St. *Rad* 2G **17**
Charlbury Av. *P'wich* 4H **21**
Charles St. *Bury* 6D **10**
Charles St. *W'fld* 6D **18**
Charles Wlk. *W'fld* 6D **18**
Charlotte St. *Rams* 2H **5**

Charlton Av. *P'wich* 4F **21**
Charlton Ct. *P'wich* 4F **21**
Charnley St. *W'fld* 5D **18**
Charter Av. *Rad* 3A **18**
Chatsworth Av. *P'wich* 3F **21**
Chatsworth Clo. *Bury* 6E **15**
Chatsworth Gro. *L Lev* 1A **16**
Chatsworth Rd. *Rad* 6D **12**
Chatterton. 4E **3**
Chatterton. Rams *3E 3*
   (off Well St. N.)
Chatterton Old La. *Rams* 3E **3**
Chatterton Rd. *Rams* 3E **3**
Chatton Clo. *Bury* 1F **13**
Chaucer Av. *Rad* 1E **17**
Cheesden. 2H **7**
Cheesden Edge. *Roch* 2H **7**
Cheesden Wlk. *W'fld* 4G **19**
Cheetham St. *Rad* 2A **18**
Chelmer Gro. *Heyw* 2H **11**
Chelsea Av. *Rad* 1D **16**
Chelsea St. *Bury* 6D **14**
Cherry Av. *Bury* 6G **11**
Cherry Clo. *Bury* 4E **15**
Cherry St. *P'wich* 2G **21**
Cherry Tree La. *Bury* 2A **14**
Cherwell Clo. *W'fld* 5E **19**
Chesham. 4E **11**
Chesham Cres. *Bury* 6E **11**
Chesham Fold Rd. *Bury* 6F **11**
   (in two parts)
Chesham Ind. Est. *Bury* 5E **11**
Chesham Rd. *Bury* 5D **10**
Chesham Rd. N. Bury *5E 11*
   (off Chesham Rd.)
Cheshire Ct. *Rams* 1B **6**
Chester Av. *L Lev* 1B **16**
Chester Av. *W'fld* 6E **19**
Chester Clo. *L Lev* 1B **16**
Chester Dri. *Rams* 3G **5**
Chester St. *Bury* 5E **11**
Chester St. *P'wich* 2E **21**
Chestnut Av. *Bury* 1F **15**
Chestnut Av. *T'ton* 4G **9**
Chestnut Av. *W'fld* 6D **18**
Chestnut Ct. *Bury* 3D **10**
Chestnut Dri. *Bury* 2D **10**
Chestnut Fold. *Rad* 1G **17**
Chestnut Gro. *Rad* 5G **17**
Cheviot Clo. *Bury* 6G **9**
Cheviot Clo. *Rams* 3A **6**
Chiltern Clo. *Rams* 3A **6**
Chiltern Dri. *Bury* 5H **9**
Chiltern Rd. *Rams* 3A **6**
Chirmside St. *Bury* 2H **13**
Chisholme Clo. *G'mnt* 5E **5**
Chislehurst Clo. *Bury* 2H **13**
Chiswick Dri. *Rad* 6B **12**
Chorley Clo. *Bury* 2F **13**
Christchurch Clo. *Bolt* 6A **8**
Church Clo. *Rad* 5B **16**
Church Clo. *Rams* 2H **5**
Church Ct. *Bury* 6E **11**
Church Ct. *Rams* 1F **3**
Church Cft. *Bury* 1F **19**
Church Dri. *P'wich* 3E **21**
Churchfield Clo. *Rad* 4F **17**
Church Grn. *Rad* 1B **18**
Churchill Av. *A'wth* 2D **12**
Churchill Dri. *L Lev* 2C **16**
Church La. *Bury* 4H **11**
Church La. *P'wich* 3E **21**
Church La. *Rams* 1F **3**
Church La. *Salf* 6G **21**
Church La. *W'fld* 5C **18**
Church Mdw. *Uns* 6F **15**
Church Meadows. *Bolt* 6A **8**
Church M. *Rad* 4A **18**
Church Rd. *Farn & Kear* 5A **16**
Church Rd. *Rad* 5A **16**
Church Rd. *Rams* 5G **3**
Church St. *A'wth* 2C **12**
Church St. *Bury* 6E **11**
Church St. *L Lev* 2A **16**
Church St. *Rams* 1A **6**
Church St. *Wals* 5F **9**
Church St. E. *Rad* 2A **18**
   (in two parts)
Church St. W. *Rad* 2H **17**
Church Wlk. *G'mnt* 6D **4**
Circular Rd. *P'wich* 5F **21**
Clare Clo. *Bury* 4B **10**

Clarence Av. *W'fld* 6E **19**
Clarendon St. *Bury* 5E **11**
Clarendon St. *W'fld* 5D **18**
Clarkes Cft. *Bury* 6G **11**
Clarke's Hill. *W'fld* 6H **17**
Clark's Hill. *P'wich* 3E **21**
   (in two parts)
Clarkson Clo. *Midd* 6D **22**
Claughton Rd. *Wals* 4F **9**
Clavendon Rd. *Rad* 4E **13**
Claybank Dri. *T'ton* 2D **8**
Claydon Dri. *Rad* 6B **12**
Clayton Clo. *Bury* 2F **13**
Cleadon Dri. S. *Bury* 4A **10**
Clegg St. *W'fld* 6D **18**
Clerke St. *Bury* 1D **14**
Cleveland Clo. *Rams* 4A **6**
Cleveleys Av. *Bury* 3C **14**
Cliff Av. *Bury* 5A **6**
Cliff Mt. *Rams* 6D **2**
Cliff Rd. *Bury* 5A **6**
Clifton Dri. *Swin* 5A **20**
Clifton Ind. Est. *Swin* 4A **20**
Clifton Pl. *P'wich* 2E **21**
Clifton Rd. *W'fld & P'wich* . . 3C **20**
Clifton St. *Bury* 5D **10**
Clifton St. *Kear* 6A **16**
Clifton St. *Rams* 1F **3**
Clitheroe Dri. *Bury* 1F **13**
Clive Av. *W'fld* 4C **18**
Clively Av. *Swin* 5A **20**
Close, The. *Bury* 4A **10**
Cloughbank. *Rad* 6C **16**
Clough Dri. *P'wich* 3D **20**
Clough Fold. *Rad* 6B **16**
Clough Gro. *W'fld* 3B **18**
Clough La. *P'wich* 3D **20**
Clough Mdw. Rd. *Rad* 2E **17**
Clough St. *Rad* 4A **18**
Clough Wlk. *P'wich* 3D **20**
Clyde Av. *W'fld* 1D **20**
Clyde Rd. *Bury* 6F **13**
Clyde Ter. *Rad* 6F **13**
Cobden St. *Bury* 5F **13**
Cobden St. *Rad* 5F **13**
Cock Clod St. *Rad* 2A **18**
Cockey Moor Rd.
   A'wth & Bury 2D **12**
Cock Hollow. *Bury* 5E **11**
Cocklinstones. *Bury* 6A **10**
Colchester Av. *P'wich* 5G **21**
Coleridge Av. *Rad* 2E **17**
Coleridge Rd. *G'mnt* 5F **5**
Colinwood Clo. *Bury* 2D **18**
Collen Cres. *Bury* 3H **9**
Collier St. *Rad* 2H **17**
Collinge St. *Bury* 5H **9**
Colling St. *Rams* 2H **5**
Collins St. *Wals* 5F **9**
Colshaw Clo. E. *Rad* 1F **17**
Colshaw Clo. S. *Rad* 1F **17**
Colville Dri. *Bury* 2A **14**
Coney Green Sports Cen. . . 1H **17**
Conisborough Pl. *W'fld* 6F **19**
Coniston Av. *Bury* 5D **18**
Coniston Clo. *L Lev* 1A **16**
Coniston Clo. *Rams* 5E **3**
Coniston Dri. *Bury* 4C **14**
Connaught Av. *W'fld* 2H **13**
Connaught St. *Bury* 2H **13**
Connel Clo. *Bolt* 5A **12**
Constellation Trad. Est. *Rad* . . 5F **13**
Conway Av. *W'fld* 6D **18**
Conway Clo. *Rams* 1H **5**
Conway Clo. *W'fld* 6D **18**
Conway Cres. *G'mnt* 5F **5**
Conway Dri. *Bury* 1H **15**
Cook St. *Bury* 1E **15**
Coomassie St. *Rad* 2G **17**
Co-operative St. *Rad* 1G **17**
Cooper St. *Bury* 1C **14**
Copeland Av. *Swin* 6A **20**
Copeland Clo. *Midd* 4D **22**
Copper La. *P'wich* 6G **17**
Coppice St. *Bury* 6G **11**
Coppice, The. *P'wich* 3E **21**
Coppice, The. *Rams* 3G **5**
Copse Dri. *Bury* 3D **10**
Copthorne Wlk. *T'ton* 4F **9**
Corday La. *P'wich* 5H **19**
Cork St. *Bury* 1E **15**
Cornall St. *Bury* 6A **10**
Cornfield Clo. *Bury* 2D **10**

Cornwall Clo. *Bury* . . . 3E **15**
Cornwall Dri. *Bury* . . . 3D **14**
Coronation Gdns. *Rad* . . . 1E **17**
(in two parts)
Coronation Rd. *Rad* . . . 6E **13**
Coronation Sq. *L Lev* . . . 2B **16**
Coronation Wlk. *Rad* . . . 6E **13**
Cotswold Clo. *P'wich* . . . 2G **21**
Cotswold Clo. *Rams* . . . 3A **6**
Cotswold Cres. *Bury* . . . 6G **9**
Cottage, The. *Heyw* . . . 1D **22**
Cottam St. *Bury* . . . 6A **10**
Coulthurst St. *Rams* . . . 1H **5**
Countess La. *Rad* . . . 6D **12**
Countess Pl. *P'wich* . . . 3G **21**
Court, The. *P'wich* . . . 4F **21**
Courtyard, The. *Salf* . . . 6G **21**
Coventry Rd. *Rad* . . . 6F **13**
Crag Av. *Bury* . . . 5B **6**
Crag Fold. *Bury* . . . 5B **6**
Crag La. *Bury* . . . 5B **6**
Craig Av. *Bury* . . . 2H **13**
Craigwell Rd. *P'wich* . . . 5H **21**
Cranbrook Dri. *P'wich* . . . 5G **21**
Cranbrook St. *Rad* . . . 6A **14**
Cranford Av. *W'fld* . . . 3C **18**
Cranford Clo. *W'fld* . . . 3C **18**
Cranham Clo. *Bury* . . . 6H **9**
Craven St. *Bury* . . . 6F **11**
Crediton Dri. *Bolt* . . . 4A **12**
Crescent Av. *P'wich* . . . 5F **21**
Crescent Gro. *P'wich* . . . 5F **21**
Crescent, The. *L Lev* . . . 3B **16**
Crescent, The. *P'wich* . . . 3F **21**
Crescent, The. *Rad* . . . 6D **12**
Crinan Way. *Bolt* . . . 5A **12**
Croal Wlk. *W'fld* . . . 4F **19**
Croftacres. *Rams* . . . 3F **3**
Croft Av. *P'wich* . . . 5B **22**
Croft Dri. *T'ton* . . . 3E **9**
Crofters Brook. *Rad* . . . 1A **18**
Croft Ind. Est. *Bury* . . . 6E **15**
Croftlands. *Rams* . . . 4G **5**
Croft La. *Bury* . . . 6E **15**
Croft La. *Rad* . . . 1A **18**
Croftleigh Clo. *W'fld* . . . 3C **18**
Croft St. *Bury* . . . 1E **15**
Croft, The. *Bury* . . . 5E **15**
Croich Bank. *Hawk* . . . 5B **4**
Cromer Rd. *Bury* . . . 4A **10**
(in two parts)
Crompton Clo. *Rad* . . . 5H **17**
Crompton Ct. *L Lev* . . . 2C **16**
Crompton Pl. *Rad* . . . 2H **17**
Crompton Rd. *Rad* . . . 5A **16**
Crompton St. *Bury* . . . 1C **14**
Cromwell Rd. *P'wich* . . . 3G **21**
Cromwell Rd. *W'fld* . . . 3B **18**
Crook St. *Rad* . . . 2H **17**
Crosby Rd. *Rad* . . . 4E **13**
Crosfield Av. *S'seat* . . . 5A **6**
Cross Av. *P'wich* . . . 1E **21**
Crossdale Rd. *Bolt* . . . 3A **12**
Cross Fld. Dri. *Rad* . . . 2E **17**
Crossfield St. *Bury* . . . 1D **18**
Crosslands. *P'wich* . . . 4E **21**
Cross La. *Holc* . . . 2G **5**
Cross La. *Rad* . . . 1A **18**
Crossley St. *L Lev* . . . 1A **16**
Cross St. *Bury* . . . 1D **14**
Cross St. *L Lev* . . . 2B **16**
Cross St. *Rad* . . . 2H **17**
Cross St. *Rams* . . . 1A **6**
Cross St. *Swin* . . . 5B **20**
Cross St. *W'fld* . . . 4C **18**
Croston Clo. Rd.
Bury & Rams . . . 5G **7**
(in two parts)
Crostons Rd. *Bury* . . . 6B **10**
Crow La. *Rams* . . . 1A **6**
Crows Nest. *Bolt* . . . 6A **12**
Crummock Clo. *L Lev* . . . 2A **16**
Crumpsall . . . **5H 21**
Cuba Ind. Est. *Rams* . . . 5E **3**
Cuckoo Gro. *P'wich* . . . 1F **21**
Cuckoo La. *Bury* . . . 1G **15**
(Bri. Hall La., in two parts)
Cuckoo La. *Bury* . . . 6G **11**
(Rochdale Old Rd.)
Cuckoo La. *W'fld & P'wich* . . . 1F **21**
Cuckoo Nest. *P'wich* . . . 6F **19**
Cumberland Wlk. *Bury* . . . 5C **14**
Cumbria Ct. *P'wich* . . . 6E **21**
Cunliffe Av. *Rams* . . . 3G **5**
Cunliffe St. *Rad* . . . 2A **18**
Cunliffe St. *Rams* . . . 6E **3**
Cunningham Dri. *Bury* . . . 4E **19**
Cypress Gro. *Kear* . . . 6A **16**

D

Dacre Clo. *Midd* . . . 4D **22**
Daisyfield . . . **2H 13**
Daisyfield Ct. *Bury* . . . 2A **14**
Daisy St. *Bury* . . . 1A **14**
Dalebeck Clo. *W'fld* . . . 5G **19**
Dalebeck Wlk. *W'fld* . . . 5G **19**
Dalebrook Clo. *L Lev* . . . 1A **16**
Dales Av. *W'fld* . . . 4B **18**
Dales La. *W'fld* . . . 4C **18**
Dale St. *Bury* . . . 5A **10**
Dale St. *Rad* . . . 3G **17**
(Phoenix Way)
Dale St. *Rad* . . . 3G **17**
(Pilkington Way)
Dale St. *Rams* . . . 5E **3**
Dale St. *W'fld* . . . 4C **18**
Dale St. Ind. Est. *Rad* . . . 3G **17**
Daleswood Av. *W'fld* . . . 4B **18**
Dalton Av. *Swin* . . . 4A **20**
Dalton Av. *W'fld* . . . 6E **19**
Dalton Clo. *Rams* . . . 3G **5**
Dalton Rd. *Midd* . . . 6D **22**
Dalton St. *Bury* . . . 1H **13**
(in two parts)
Daneshill. *P'wich* . . . 1F **21**
Danesmoor Dri. *Bury* . . . 5E **11**
Danesway. *P'wich* . . . 5H **21**
Darbyshire St. *Rad* . . . 2G **17**
Darbyshire Wlk. *Rad* . . . 2H **17**
Darlington Clo. *Bury* . . . 4H **9**
Dartmouth Rd. *W'fld* . . . 6E **19**
Darvel Clo. *Bolt* . . . 5A **12**
Dashwood Rd. *P'wich* . . . 2E **21**
Davenport Av. *Rad* . . . 5F **13**
Davenport Fold. *Bolt* . . . 6A **8**
Davenport Fold Rd. *Bolt* . . . 5A **8**
David St. *Bury* . . . 6A **10**
(in two parts)
Davies St. *Kear* . . . 6A **16**
Davy Av. *Swin* . . . 5B **20**
Dawson St. *Bury* . . . 5E **11**
(in two parts)
Deacons Cres. *T'ton* . . . 4G **9**
Deal St. N. *Bury* . . . 6F **11**
Deal St. S. *Bury* . . . 1F **15**
(in two parts)
Dean Clo. *Rams* . . . 2F **3**
Deane Clo. *W'fld* . . . 6B **18**
Deanery Gdns. *Salf* . . . 6H **21**
Deansgate. *Rad* . . . 2H **17**
Dean St. *Rad* . . . 2F **17**
Dearden Clough. *Rams* . . . 3G **3**
(in two parts)
Dearden Fold. *Bury* . . . 2A **14**
Dearden Fold. *Rams* . . . 3G **3**
Deardens St. *Bury* . . . 2A **14**
Dearden St. *L Lev* . . . 1A **16**
Deepdale Rd. *Bolt* . . . 1A **12**
Deeply Va. La. *Bury* . . . 5G **7**
Delamere Av. *W'fld* . . . 5B **18**
Delamere St. *Bury* . . . 4E **11**
Dellcot Clo. *P'wich* . . . 5H **21**
Delph La. *Bolt* . . . 2C **12**
Dempsey Dri. *Bury* . . . 3F **19**
Denham St. *Rad* . . . 5F **13**
Denton Rd. *Bolt* . . . 5B **12**
Denton St. *Bury* . . . 5D **10**
Derby Rd. *Rad* . . . 5A **16**
Derby Rd. *W'fld* . . . 1E **21**
Derby St. *Bury* . . . 1D **14**
Derby St. *P'wich* . . . 3E **21**
Derby St. *Rams* . . . 1B **6**
Dereham Clo. *Bury* . . . 4B **10**
Derwent Av. *W'fld* . . . 5F **19**
Derwent Clo. *L Lev* . . . 2A **16**
Derwent Clo. *W'fld* . . . 5F **19**
Derwent Dri. *Bury* . . . 4B **14**
Derwent Wlk. *W'fld* . . . 5F **19**
Devon Av. *W'fld* . . . 4C **18**
Devon Clo. *L Lev* . . . 1B **16**
Devon Dri. *Bolt* . . . 2C **12**
Devon M. *W'fld* . . . 4C **18**
Devonshire Pl. *P'wich* . . . 2E **21**
Devon St. *Bury* . . . 3D **14**
Dewes Av. *Swin* . . . 5A **20**
Deyne Av. *P'wich* . . . 3F **21**
Dixon Fold. *W'fld* . . . 4C **18**
Doctors La. *Bury* . . . 1B **14**
Doncaster Clo. *L Lev* . . . 2A **16**
Donnington Rd. *Rad* . . . 6C **12**
Dora St. *Rams* . . . 3G **5**
Dorchester Av. *P'wich* . . . 5G **21**
Dorning St. *Bury* . . . 5H **9**
Dorning St. *Kear* . . . 5A **16**
Dorothy St. *Rams* . . . 2H **5**
Dorset Dri. *Bury* . . . 3E **15**
Douglas Av. *Bury* . . . 1H **13**
Douglas Clo. *W'fld* . . . 4G **19**
Douglas St. *Rams* . . . 1H **5**
Douglas Wlk. *W'fld* . . . 4G **19**
Douglas Way. *W'fld* . . . 4G **19**
Dove Bank . . . **1A 16**
Dove Bank Rd. *L Lev* . . . 1A **16**
Dovedale Av. *P'wich* . . . 4H **21**
Dovedale Rd. *Bolt* . . . 2A **12**
Dove Dri. *Bury* . . . 5F **11**
Dovehouse Clo. *W'fld* . . . 5C **18**
Dover Clo. *G'mnt* . . . 6G **5**
Dow Fold. *Bury* . . . 6F **9**
Dow La. *Bury* . . . 6F **9**
(in two parts)
Downfield Clo. *Rams* . . . 1G **5**
Downham Cres. *P'wich* . . . 4H **21**
Downham Gdns. *P'wich* . . . 4H **21**
Downham Gro. *P'wich* . . . 4H **21**
Downs, The. *P'wich* . . . 5E **21**
Drinkwater Rd. *P'wich* . . . 6D **20**
Drive, The. *Bury* . . . 4D **10**
Drive, The. *P'wich* . . . 3F **21**
Drive, The. *Rams* . . . 2F **3**
Drive, The. *Salf* . . . 6G **21**
Droughts La. *P'wich* . . . 5H **19**
Ducie St. *Rad* . . . 6F **13**
Ducie St. *Rams* . . . 6D **2**
Ducie St. *W'fld* . . . 5D **18**
Duckworth Rd. *P'wich* . . . 4D **20**
Duckworth St. *Bury* . . . 5E **11**
(in two parts)
Duddon Clo. *W'fld* . . . 5F **19**
(in two parts)
Dudley Av. *W'fld* . . . 5D **18**
Duke Rd. *A'wth* . . . 2C **12**
Duke's Av. *L Lev* . . . 1A **16**
Duke St. *Rad* . . . 3H **17**
Duke St. *Rams* . . . 3G **5**
Dumers Clo. *Rad* . . . 1B **18**
Dumers La. *Rad & Bury* . . . 1B **18**
Dundee La. *Rams* . . . 1H **5**
Dundraw Clo. *Midd* . . . 4D **22**
Dunedin Rd. *G'mnt* . . . 5F **5**
Dunkirk Rd. *W'fld* . . . 4D **18**
Dunscar Clo. *W'fld* . . . 6B **18**
Dunsters Av. *Bury* . . . 4A **10**
Durham Clo. *L Lev* . . . 1B **16**
Durham Dri. *Bury* . . . 3E **15**
Durham Dri. *Rams* . . . 4H **5**
Durham St. *Rad* . . . 6A **14**
Duxbury Av. *L Lev* . . . 6A **12**
Duxbury Dri. *Bury* . . . 1G **15**
Dymchurch Av. *Rad* . . . 6C **16**

E

Eagles Nest. *P'wich* . . . 4E **21**
Eagley Dri. *Bury* . . . 2G **13**
Eames Av. *Rad* . . . 5A **16**
Earl Rd. *Rams* . . . 1H **5**
Earl St. *Bury* . . . 1D **14**
Earl St. *P'wich* . . . 3G **21**
Earl St. *Rams* . . . 1B **6**
East Av. *W'fld* . . . 3C **18**
Eastbrook Av. *Rad* . . . 1A **18**
East Dri. *Bury* . . . 1F **19**
Eastern Av. *Swin* . . . 4B **20**
(in two parts)
Eastfields. *Rad* . . . 6F **13**
Eastham Av. *Bury* . . . 3C **10**
East Lancashire Railway . . . 6C **10**
Eastleigh Av. *Salf* . . . 6H **21**
Eastleigh Rd. *P'wich* . . . 4H **21**
(in two parts)
East Meade. *P'wich* . . . 5H **21**
East St. *Bury* . . . 2D **14**
East St. *Rad* . . . 2H **17**
East St. *Rams* . . . 1F **3**
East Vw. *Bury* . . . 4A **6**
East Vw. *Rams* . . . 4E **3**
Eastwood Clo. *Bury* . . . 1F **15**
Eastwood Ct. *Bury* . . . 1F **15**
Ebury St. *Rad* . . . 1F **17**
Eccles St. *Rams* . . . 1H **5**
Eccleston Clo. *Bury* . . . 2G **13**
Eccleston Pl. *Salf* . . . 6H **21**
Eden Av. *Rams* . . . 2F **3**
Edenbridge Dri. *Rad* . . . 6B **16**
Eden Ct. Rams . . . 3F 3
(off N. Bury Rd.)
Edenfield . . . **3F 3**
Edenfield Rd. *P'wich* . . . 4H **21**
Edenfield Rd. *Roch* . . . 1G **7**
Eden La. *Rams* . . . 3F **3**
Eden St. *Bury* . . . 1D **14**
Eden St. *Rams* . . . 3F **3**
Edenwood Rd. *Rams* . . . 4F **3**
(in two parts)
Edgar St. *Rams* . . . 2H **5**
Edgar St. W. *Rams* . . . 2H **5**
Edgemoor Clo. *Rad* . . . 6E **13**
Edgeworth Av. *Bolt* . . . 2D **12**
Edgworth Dri. *Bury* . . . 2G **13**
Edilom Rd. *M8* . . . 5H **21**
Edinburgh Rd. *L Lev* . . . 3A **16**
Edith St. *Rams* . . . 5G **3**
Edmund St. *Rad* . . . 1A **18**
Edwards Dri. *W'fld* . . . 5F **19**
Edward St. *Bury* . . . 2D **14**
Edward St. *P'wich* . . . 2E **21**
Edward St. *Rad* . . . 5B **16**
(Market St.)
Edward St. *Rad* . . . 3H **17**
(Stand La.)
Edwin St. *Bury* . . . 1C **14**
Egermont Clo. *W'fld* . . . 4E **19**
Egerton Rd. *W'fld* . . . 6D **18**
Egerton St. *Midd* . . . 6D **22**
Egerton St. *P'wich* . . . 3G **21**
Egypt La. *P'wich* . . . 4H **19**
Eight Acre. *W'fld* . . . 6A **18**
Elbut La. *Bury* . . . 1H **11**
Eldon St. *Bury* . . . 5D **10**
Elham Clo. *Rad* . . . 6C **16**
Elisie St. *Rams* . . . 3G **5**
Elizabeth St. *P'wich* . . . 3G **21**
Elizabeth St. *Rad* . . . 2G **17**
Elizabeth St. *Rams* . . . 2F **3**
Elizabeth St. *W'fld* . . . 6D **18**
Eliza St. *Rams* . . . 1B **6**
Elland Clo. *Bury* . . . 3F **19**
Elleray Clo. *L Lev* . . . 2C **16**
Ellis La. *Midd* . . . 5D **22**
Ellis St. *Bury* . . . 1H **13**
Ellis St. *Rams* . . . 2H **5**
Elm Av. *Rad* . . . 5F **17**
Elm Gro. *P'wich* . . . 1E **21**
Elm Rd. *L Lev* . . . 3B **16**
Elms Clo. *W'fld* . . . 3D **18**
Elms Rd. *W'fld* . . . 4D **18**
Elms Sq. *W'fld* . . . 4C **18**
Elms St. *W'fld* . . . 4C **18**
Elm St. *Bury* . . . 1F **15**
Elm St. *Rams* . . . 1B **6**
(Peel Brow)
Elm St. *Rams* . . . 2G **3**
(Rochdale Rd.)
Elson St. *Bury* . . . 5H **9**
Elterwater Clo. *Bury* . . . 5H **9**
Elton . . . **1A 14**
Elton Brook Clo. *Bury* . . . 6H **9**
Elton Clo. *W'fld* . . . 5E **19**
Elton Sq. Ho. *Bury* . . . 2A **14**
Elton Va. Rd. *Bury* . . . 1H **13**
Ely Dri. *Bury* . . . 5B **10**
Enfield Clo. *Bury* . . . 6D **14**
Ennerdale Clo. *L Lev* . . . 2A **16**
Ennerdale Dri. *Bury* . . . 2E **19**
Entwistle St. *Rad* . . . 3H **17**
Ernest St. *P'wich* . . . 3D **20**
Esk Av. *Rams* . . . 1F **3**
Eskdale Av. *Bolt* . . . 1A **12**
Eskdale Clo. *Bury* . . . 2E **19**
Essex Av. *Bury* . . . 2H **15**
Essex Dri. *Bury* . . . 3D **14**
Est Bank Rd. *Rams* . . . 4G **5**
(in two parts)
Eton Hill Ind. Est. *Rad* . . . 6B **14**

Eton Hill Rd. *Rad* 1A 18
Eton Way N. *Rad* 6A 14
Eton Way S. *Rad.* 6A 14
Ettington Clo. *Bury* 6G 9
Europa Trad. Est. *Rad* 6B 16
Europa Way. *Rad* 6A 16
Euxton Clo. *Bury* 2G 13
Every St. *Bury* 5D 10
Every St. *Rams.* 1B 6
Ewood Dri. *Bury* 3G 13
Exchange St. *Rams* 2F 3
Exeter Av. *Rad* 6D 12
Exford Dri. *Bolt* 5A 12

F

Factory Brow. *Midd* 6D 22
Factory St. *Rad.* 2H 17
Factory St. *Rams* 6E 3
Fairfax Rd. *P'wich* 2E 21
Fairfield 6H 11
Fairfield Dri. *Bury* 6H 11
FAIRFIELD GENERAL HOSPITAL. 1G 11
Fairhaven Av. *W'fld* 6B 18
Fairhaven Clo. *W'fld* 6B 18
Fairlands Rd. *Bury* 2D 10
Fairway. *P'wich.* 5H 21
Fairway Av. *Bolt* 5A 8
Fairway Rd. *Bury* 2E 19
Fairways, The. *W'fld* 1D 20
Fairy St. *Bury* 1A 14
Falcon Clo. *Bury* 5E 11
Falcon Ct. *Salf* 6H 21
Falcon Cres. *Swin* 5A 20
Falcon Ho. *Bury* 5E 11
Falkland Rd. *Bolt* 4A 12
Falmer Clo. *Bury* 2A 10
Falshaw Dri. *Bury* 6C 6
Falstone Av. *Rams* 3A 6
Faraday Av. *Swin* 5B 20
Farcroft Av. *Rad* 5A 14
Far Hey Clo. *Rad* 2E 17
Farm Clo. *T'ton* 3F 9
Farm Cotts. *Rams* 4D 2
Farm La. *P'wich* 5A 22
Farringdon Dri. *Rad* 6E 13
Fearney Side. *L Lev* 2A 16
Federation St. *P'wich* 2D 20
Fellside. *Bolt* 6A 8
Fellside Clo. *G'mnt* 6F 5
Fell St. *Bury* 1A 14
Felton Clo. *Bury* 6E 15
Fenton St. *Bury* 6A 10
Fernbank. *Rad* 5G 17
Ferndale Av. *W'fld* 6A 18
Ferndene Rd. *W'fld & P'wich* 6G 19
Fern Grove 5G 11
Ferngrove. *Bury* 4F 11 (Bullfinch Dri.)
Ferngrove. *Bury* 5F 11 (Kingfisher Dri.)
Fernhill 6D 10
Fernhill Cvn. Pk. *Bury* 5C 10
Fernhill St. *Bury* 6D 10
Fernside. *Rad* 6C 16
Fern St. *Bury* 6D 10
Fern St. *Rams* 1B 6 (in two parts)
Fernview Dri. *Rams* 6H 5
Fieldhead Av. *Bury* 1G 13
Fifth Av. *Bury* 5H 11
Fifth Av. *L Lev.* 1A 16
Finchley Clo. *Bury* 2H 13
Finger Post. *L Lev.* 1A 16
Firbank. *P'wich* 3G 21
First Av. *L Lev.* 1A 16
First Av. *T'ton* 3F 9
Fir St. *Bury* 1E 15
Fir St. *Rad* 3H 17
Fir St. *Rams* 6F 3
Firwood Cres. *Rad* 4H 17
Fishbrook Ind. Est. *Kear* 6A 16
Fishpool 3D 14
Fitzgerald Clo. *P'wich* 5D 20
Five Quarters. *Rad* 6E 13
Flashfields. *P'wich* 6D 20
Flax St. *Rams* 3G 5
Fletcher Bank 1B 6
Fletcher Fold 4D 14
Fletcher Fold Rd. *Bury* 5D 14
Fletcher St. *Bury* 1E 15
Fletcher St. *L Lev* 2B 16
Fletcher St. *Rad* 1A 18
Flint St. *Bury* 6D 10
Fold Rd. *Rad* 6C 16
Fold St. *Bury* 1B 14
Fontwell Rd. *L Lev* 3A 16
Ford St. *Rad* 5A 16
Forest Bank. *Swin* 6C 20
Forth Pl. *Rad.* 6F 13
Forth Rd. *Rad* 6F 13
Fort Rd. *P'wich.* 5H 21
Foster Ct. *Bury* 5H 11
Foster La. *Bolt* 2A 12 (in two parts)
Foster St. *Rad* 2F 17
Foulds Av. *Bury* 1G 13
Foundry St. *Bury* 1D 14
Foundry St. *L Lev* 2A 16
Foundry St. *Rad* 2G 17
Fountain Pl. *W'fld* 6D 18
Fountain St. *Bury* 1E 15
Fountain St. *Elton* 1A 14
Fountain St. N. *Bury* 1E 15
Four Lane Ends 4D 8
Fourth Av. *Bury* 5H 11
Fourth Av. *L Lev* 1A 16
Foxall Clo. *Midd* 6D 22
Foxall St. *Midd* 6D 22
Foxfield Clo. *Bury* 4H 9
Foxglove Dri. *Bury* 6H 11
Fox St. *Bury* 6D 10
Foxton St. *Midd* 6D 22
Frank St. *Bury* 2D 14
Frankton Rd. *W'fld* 6D 18
Frecheville Ct. *Bury* 2C 14
Frecheville Pl. *Bury* 2C 14
Freckleton Dri. *Bury* 3F 13
Frederick St. *Rams* 2H 5
Freestone Clo. *Bury* 5B 10
Freetown 5E 11
Freetown Bus. Pk. *Bury* 5E 11
Freshfield Av. *P'wich* 1G 21
Freshfields. *Rad* 6D 12
Fulwood Clo. *Bury* 2F 13
Furness Av. *W'fld* 5E 19

G

Gainsborough Rd. *Rams* 6H 5
Gale Rd. *P'wich* 4D 20
Galgate Clo. *Bury* 2F 13
Ganton Av. *W'fld* 6B 18
Garden City. *Rams* 5G 5
Garden St. *Rams* 1A 6
Garden St. *S'seat* 4A 6
Garden St. *T'ton* 2F 9
Gardner Rd. *P'wich* 3D 20
Garnett St. *Rams* 1H 5
Garside Hey Rd. *Bury* 3H 9
Garstang Dri. *Bury* 2F 13
Garston St. *Bury* 5E 11
Garswood Dri. *Bury* 3H 9
Gatcombe M. *Rad* 6F 13
Gate Fld. Clo. *Rad* 2E 17
Gawthorpe Clo. *Bury* 6E 15
Geoffrey St. *Bury* 5E 11
Geoffrey St. *Rams* 3G 5
George Rd. *Rams* 2H 5
George St. *Bury* 1D 14
George St. *P'wich* 6F 21
George St. *Rad* 2F 17
George St. *W'fld* 4C 18
Georgiana St. *Bury* 2D 14
Gigg 4E 15
Gigg La. 4D 14 (Bury F.C. & Swinton Lions Rugby League F.C.)
Gigg La. *Bury* 4C 14
Gilbert St. *Rams* 4E 3
Gilmore Dri. *P'wich* 2F 21
Gin Cft. La. *Rams* 2G 3
Gingham Ct. Rad 1A 18 (off Butterworth St.)
Gingham Pk. *Rad* 6E 13
Gisburn Dri. *Bury* 6E 9
Gladstone St. *Bury* 6F 11
Glastonbury Gdns. *Rad* 6E 13
Glaze Wlk. *W'fld* 3G 19
Gleaves Av. *Bolt* 5A 8
Glebelands Rd. *P'wich* 2E 21
Glebelands Rd. E. *P'wich* 2F 21
Glebe St. *Rad* 2H 17
Glenbeck Rd. *W'fld* 4C 18
Glenboro Av. *Bury* 1H 13
Glendale Av. *Bury* 2D 18
Glendevon Pl. *W'fld* 6F 19
Gleneagles Way. *Rams* 2H 5
Glenmere Clo. *P'wich* 1D 20
Glenmore Rd. *Rams* 5F 5
Glenmore St. *Bury* 2C 14
Glen St. *Rams* 6D 2
Glenvale Clo. *Rad* 2H 17
Globe Ind. Est. *Rad* 2H 17
Gloucester Av. *W'fld* 5E 19
Goats Ga. Ter. *W'fld* 3B 18
Goldfinch Dri. *Bury* 4G 11
Goodison Clo. *Bury* 2F 19
Goodlad St. *Bury* 5H 9
Goodwood Clo. *L Lev* 2A 16
Gordon St. *Bury* 6C 10
Gore Clo. *Heap B* 1G 15
Gorse Bank. *Bury* 6G 11
Gorse Fld. Clo. *Rad* 1G 17
Gorse Pit. *Bury* 6G 11
Gorsey Clough Dri. *T'ton* 4F 9
Gorsey Clough Wlk. *T'ton* 4F 9
Gort Clo. *Bury* 4E 19
Gosforth Clo. *Bury* 4A 10
Goshen La. *Bury* 5D 14
Goshen Sports Cen. 5E 15
Goyt Wlk. *W'fld* 3F 19
Grafton St. *Bury* 3D 14
Granby St. *T'ton* 5F 9
Grange Av. *L Lev* 2C 16
Grange Gro. *W'fld* 5D 18
Grange Rd. *Bury* 1H 13
Grantham Dri. *Bury* 4B 10
Grant M. *Rams* 6D 2
Grants Entry. Rams 1H 5 (off Young St.)
Grants La. *Rams* 1A 6
Grasmere Av. *L Lev* 1A 16
Grasmere Av. *W'fld* 6A 18
Grassington Ct. *Wals* 5F 9
Grassington Dri. *Bury* 2H 15
Graves St. *Rad* 5F 13
Grayson Av. *W'fld* 5E 19
Gt. Eaves Rd. *Rams* 6E 3
Gt. Hall Clo. *Rad* 1G 17
Gt. House Av. *Ross* 1A 2
Gt. Stone Clo. *Rad* 2D 16
Greenacre Clo. *Rams* 6G 3
Greenbank Rd. *Rad* 6F 13
Greenbrook Bus. Pk. *Bury* 5E 11
Greenbrook Clo. *Bury* 5E 11
Greenbrook St. *Bury* 5E 11
Greenfield Clo. *Bury* 2G 13
Greengate La. *Bolt* 3A 12
Greengate La. *P'wich* 3E 21
Greenhalgh Moss La. *Bury* 4H 9
Greenheys Cres. *G'mnt* 6F 5
Green Hill. *P'wich* 3E 21
Greenhill Rd. *Bury* 2G 13
Green La. *Kear* 6A 16
Green La. *W'fld* 4C 18
Greenmount 6F 5
Greenmount Clo. *G'mnt* 5F 5
Grn. Mount Dri. *G'mnt* 5F 5
Greenmount Pk. *Kear* 6A 16
Greenoak. *Rad* 6C 16
Grn. Park Clo. *G'mnt* 6F 5
Greenside. *Bolt* 2C 12 (in two parts)
Greenside Clo. *Hawk* 4B 4
Greenside Dri. *G'mnt* 1E 9
Greenside St. *Bolt* 2C 12
Green St. *Bury* 5H 9
Green St. *Rad* 2G 17
Green St. *Rams* 2G 3
Green St. *Wals* 5F 9
Green, The. *G'mnt* 6F 5
Green, The. *Swin* 5A 20
Green Walks. *P'wich* 4G 21
Greenway Clo. *Bury* 6H 9
Greenway M. *Rams* 3A 6
Greenwood Av. *Swin* 6A 20
Greenwoods La. *Bolt* 5A 8
Gresham Clo. *W'fld* 6B 18
Greymont Rd. *Bury* 3D 10
Greystoke Cres. *W'fld* 3C 18
Grey St. *P'wich* 3G 21
Grey St. *Rad* 2H 17 (in two parts)
Greywood Av. *Bury* 1F 15
Griffe La. *Bury* 2G 19
Griffin Clo. *Bury* 5F 11
Griffin Ho. *Bury* 5E 11
Grime St. *Rams* 3G 5
Grindrod St. *Rad* 1F 17 (in two parts)
Grindsbrook Rd. *Rad* 4F 13
Grosvenor Av. *W'fld* 5C 18
Grosvenor Ct. *Salf* 6H 21
Grosvenor Rd. *W'fld* 4C 18
Grosvenor St. *Bury* 3D 14
Grosvenor St. *Kear* 6A 16
Grosvenor St. *L Lev* 1A 16
Grosvenor St. *P'wich* 3G 21
Grosvenor St. *Rad* 1F 17
Grove, The. *L Lev* 2B 16
Grundy Av. *P'wich* 5D 20
Grundy Clo. *Bury* 2E 15
Grundy La. *Bury* 3E 15
Guest Rd. *P'wich* 1E 21
Guiseley Clo. *Bury* 1C 10
Gutter End. *Bury* 1D 14
Gutter La. *Rams* 6D 2

H

Hackford Clo. *Bury* 4B 10
Hacking St. *Bury* 1E 15
Hacking St. *P'wich* 3E 21
Hackney Clo. *Rad* 6G 13
Haddon Clo. *Bury* 6E 15
Hags, The. *Bury* 6E 15
Haig Ct. *Bury* 2H 13
Haigh Hall Clo. *Rams* 3H 5
Haig Rd. *Bury* 1H 13
Hailsham Clo. *Bury* 2A 10
Hail St. *Rams* 3G 5
Half Acre 1F 21
Half Acre. *Rad* 5E 13
Half Acre La. *W'fld* 1F 21 (in two parts)
Hallam St. *Rad* 1B 18
Halliwell Rd. *P'wich* 6D 20
Halliwell Wlk. *P'wich* 6D 20
Hall St. *Bury* 5A 6 (Railway St. W.)
Hall St. *Bury* 5A 10 (Tottington Rd.)
Hall St. *Rad* 5F 13
Hall St. *Wals* 5E 9
Halsall Clo. *Bury* 3D 10
Halstead St. *Bury* 4E 11
Halstead Wlk. *Bury* 4E 11
Halter Clo. *Rad* 6G 13
Halvard Av. *Bury* 3D 10
Halvard Ct. *Bury* 3D 10
Hambleton Clo. *Bury* 2F 13
Hamer St. *Rad* 1A 18
Hamer St. *Rams* 5H 5
Hamer Ter. Bury 4A 6 (off Ruby St.)
Hamilton Clo. *Bury* 6H 9
Hamilton Clo. *P'wich* 4E 21
Hamilton Ct. *L Lev* 2B 16
Hamilton M. *P'wich* 4E 21
Hamilton Rd. *P'wich* 4E 21
Hamilton Rd. *W'fld* 5C 18
Hamilton St. *Bury* 5D 10
Hampden Rd. *P'wich* 3F 21
Hampshire Clo. *Bury* 3E 15
Hampson Fold. *Rad* 1F 17
Hampson Mill La. *Bury* 6D 14
Hampson Sq. Rad 1G 17 (off Ainsworth Rd.)
Hampson St. *Rad* 2G 17
Hampton Gro. *Bury* 3D 10
Handley St. *Bury* 3D 14
Hanging Birch. *Midd* 6D 22
Hanson St. *Bury* 5D 10
Harborne Wlk. *G'mnt* 6F 5
Harcles Dri. *Rams* 5H 5
Hardman Av. *P'wich* 5H 21
Hardman Clo. *Rad* 5F 13
Hardmans M. *W'fld* 1D 20
Hardman's Rd. *W'fld* 1D 20
Hardman St. *Bury* 5D 10 (in two parts)
Hardman St. *Rad* 5F 13

Hardsough La. *Rams* 1F **3**
Hardwick Clo. *Rad* 6B **12**
Hardy Mill Rd. *Bolt* 5A **8**
Hare Dri. *Rams* 1F **19**
Hargate Clo. *Bury* 5A **6**
Harlech Av. *W'fld* 1F **21**
Harley Av. *A'wth* 2D **12**
Harold St. *P'wich* 3D **20**
Harper Fold Rd. *Rad* 2D **16**
Harpford Clo. *Bolt* 6A **12**
Harpford Dri. *Bolt* 6A **12**
Harris Dri. *Bury* 3F **19**
Harrison St. *Rams* 6E **3**
Harrogate Av. *P'wich* 5H **21**
Harrogate Sq. *Bury* 2F **13**
Harrow Clo. *Bury* 6D **14**
Harry Whitehead Ct. *Bury* . . 3D **10**
Hart Dri. *Bury* 1F **19**
Hartley Av. *P'wich* 4G **21**
Harvey St. *Bury* 6A **10**
Harwood. **5A 8**
Harwood Cres. *T'ton* 2E **9**
Harwood Dri. *Bury* 2G **13**
Harwood Rd. *T'ton* 5C **8**
Harwood Wlk. *T'ton* 5C **8**
Haseley Clo. *Rad* 6B **12**
Haslam Brow. *Bury* 3C **14**
Haslam Ct. *Salf* 6H **21**
Haslam Hey Clo. *Bury* 1E **13**
Haslam St. *Bury* 5E **11**
Hassall St. *Rad* 6C **14**
Hastings Av. *W'fld* 6F **19**
Hastings Clo. *W'fld* 6F **19**
Hastings Rd. *P'wich* 2G **21**
Hathaway Rd. *Bury* 2E **19**
Hatherleigh Wlk. *Bolt* 5A **12**
Havenbrook Gro. *Rams* 4G **5**
Haven Clo. *Rad* 6D **12**
Haven, The. *L Lev* 2B **16**
Hawes Clo. *Bury* 4H **9**
Haweswater Cres. *Uns* 5F **5**
Hawk Clo. *Bury* 5F **11**
Hawkshaw. **4B 4**
Hawkshaw La. *Hawk* 4B **4**
Hawkstone Av. *W'fld* 6B **18**
Haworth Av. *Rams* 5G **5**
Haworth Ct. *Rad* 2H **17**
(off Haworth Wlk.)
Haworth St. *Rad* 2H **17**
Haworth St. *Wals* 5E **9**
Haworth Wlk. *Rad* 2H **17**
Hawthorn Av. *Bury* 5A **10**
Hawthorn Av. *Rad* 4H **17**
Hawthorn Av. *Rams* 3G **3**
(Bury Rd.)
Hawthorn Av. *Rams* 5G **5**
(Newcombe Rd.)
Hawthorn Cres. *T'ton* 2F **9**
Hayfield Clo. *G'mnt* 6F **5**
Haymarket St. *Bury* 1C **14**
Haymarket, The. *Bury* 1C **14**
Hayward Av. *L Lev* 2C **16**
Hayward St. *Bury* 6A **10**
Hazel Av. *Bury* 1F **15**
Hazel Av. *Rad* 5A **16**
Hazel Av. *Rams* 6H **5**
Hazel Av. *T'ton* 4G **9**
Hazel Dene Clo. *Bury* 4D **14**
Hazel Gro. *Rad* 5F **17**
Hazel Hall La. *Rams* 6H **5**
Hazelhurst. **3G 5**
Hazelhurst Clo. *Rams* 3H **5**
Hazel Rd. *W'fld* 4B **18**
Hazel St. *Rams* 3G **5**
Hazelwood Dri. *Bury* 2D **10**
Hazlemere. *Kear* 6A **16**
Headlands Dri. *P'wich* 6E **21**
Heap Bridge. **2G 15**
Heap Brow. *Bury* 2H **15**
Heaplands. *G'mnt* 6F **5**
Heap St. *Bury* 2H **15**
Heap St. *Rad* 2E **17**
Heap St. *W'fld* 6D **18**
Heapworth Av. *Rams* 1H **5**
Heapy Clo. *Bury* 2F **13**
Heath Av. *Rams* 6H **5**
Heather Bank. *T'ton* 2E **9**
Heatherside Rd. *Rams* 6D **2**
Heathfield. *Har* 6A **8**
Heathfield Rd.
  Bury & W'fld 2D **18**
Heathland Rd. *Salf* 6F **21**

Heathlands Dri. *P'wich* 6E **21**
Heath Vw. *Salf* 6E **21**
Heaton Av. *L Lev* 1A **16**
Heaton Clo. *Bury* 6E **15**
Heaton Ct. *Bury* 4C **14**
Heaton Ct. *P'wich* 4G **21**
Heaton Dri. *Bury* 6E **15**
Heaton Fold. *Bury* 3C **14**
Heaton Gro. *Bury* 4D **14**
Heaton Hall. 1H **21**
(Museum)
Heaton Park. **3G 21**
Heaton Pk. 2H **21**
Heaton Pk. Bowling Pavilion.
  . . . . 1G **21**
Heaton Pk. Farm Cen. 2H **21**
Heaton Pk. Horticultural Cen.
  . . . . 2H **21**
Heaton Pk. Tramway. 2H **21**
Heaton Rd. *Brad F* 6B **12**
Heaton St. *Midd* 6D **22**
Heaton St. *P'wich* 3F **21**
Hebburn Dri. *Bury* 4A **10**
Heber St. *Rad* 2G **17**
Helmsdale Clo. *Rams* 3G **5**
Helmshore Rd. *Holc* 3C **2**
Helton Wlk. *Midd* 4D **22**
Hendon Dri. *Bury* 6D **14**
Henley Clo. *Bury* 3G **13**
Henry St. *P'wich* 2G **21**
Henry St. *Rams* 6F **3**
Henwick Hall Av. *Rams* 3H **5**
Herbert St. *L Lev* 2B **16**
Herbert St. *P'wich* 3D **20**
Herbert St. *Rad* 6F **13**
Hereford Cres. *L Lev* 1A **16**
Hereford Dri. *Bury* 3D **14**
Hereford Dri. *P'wich* 4G **21**
Herevale Hall Dri. *Rams* 3H **5**
Heswall Dri. *Wals* 4E **9**
Heswall St. *Bolt* 4A **12**
Hewart Dri. *Bury* 6G **11**
Hewlett St. *Rams* 5G **5**
Heybrook Clo. *W'fld* 5G **19**
Heybrook Wlk. *W'fld* 5G **19**
Hey Cft. *W'fld* 6A **18**
Heycrofts Vw. *Rams* 2F **3**
Hey Head Cotts. *Bolt* 4B **8**
Heyside Way. *Bury* 2D **14**
Heys Rd. *P'wich* 2F **21**
Heys St. *Bury* 1B **14**
Heys, The. *P'wich* 2F **21**
Heys Vw. *P'wich* 3F **21**
Heywood Av. *Swin* 5A **20**
Heywood Ct. *Midd* 6D **22**
Heywood Gdns. *P'wich* 3F **21**
Heywood M. *L Lev* 2B **16**
(off Heywood St.)
Heywood Old Rd.
  Midd & Heyw 4C **22**
Heywood Rd. *P'wich* 4F **21**
Heywood St. *Bury* 2E **15**
Heywood St. *L Lev* 2B **16**
High Bank Cres. *P'wich* 4G **21**
High Bank Gro. *P'wich* 4G **21**
Highbank Rd. *Bury* 2D **18**
High Beeches. *Brad F* 6B **12**
Highbridge Clo. *Bolt* 5A **12**
Highbury Ct. *P'wich* 2F **21**
Higher Ainsworth Rd. *Rad* . . 4E **13**
Higher Cft. *W'fld* 1A **20**
Higher Dean St. *Rad* 2E **17**
Higher Fold La. *Rams* 6G **3**
Higher La. *W'fld* 5C **18**
Higher Pit La. *Rad* 3D **12**
Higher Row. *Bury* 6F **11**
Higher Summerseat. **6H 5**
Higher Summerseat. *Rams* 5H **5**
Higher Woodhill. **4B 10**
Highfield Av. *Bolt* 6A **8**
Highfield Av. *Rad* 4A **18**
Highfield Ct. *P'wich* 2F **21**
Highfield La. *Bury & W'fld* . . 2C **18**
Highfield Pl. *P'wich* 2E **21**
Highfield Rd. *P'wich* 1E **21**
Highfield Rd. *Rams* 3F **3**
Highfield St. *Kear* 6A **16**
Highmeadow. *Rad* 4F **17**
High St. *L Lev* 2B **16**
High St. *Wals* 6F **9**
High Vw. *P'wich* 4F **21**

Hilda Av. *T'ton* 3F **9**
Hillcrest Av. *Heyw* 2H **11**
Hillcrest Cres. *Heyw* 2H **11**
Hillcrest Rd. *P'wich* 5D **20**
Hillingdon Rd. *W'fld* 6B **18**
Hill Ri. *Rams* 3G **5**
Hill's Ct. *Bury* 5H **9**
Hillside Av. *W'fld* 3C **18**
Hillside Ct. *P'wich* 4E **21**
Hillside Cres. *Bury* 3D **10**
Hillside Gdns. *Bury* 5A **6**
Hillside Rd. *Rams* 2G **5**
Hills La. *Bury* 3G **19**
Hillstone Clo. *G'mnt* 5F **5**
Hill St. *Rad* 1F **17**
Hill St. *Rad* 4H **17**
(Ainsworth Rd.)
Hill St. *Rad* 2H **17**
(Rupert St.)
Hill St. *S'seat* 4A **6**
Hill St. *T'ton* 5F **9**
Hill Top. *L Lev* 1A **16**
Hill Top Av. *P'wich* 3F **21**
Hilltop Av. *W'fld* 5F **19**
Hilltop Dri. *T'ton* 3E **9**
Hilltop Gro. *W'fld* 5F **19**
Hillyard St. *Bury* 6A **10**
Hilton Cres. *P'wich* 5F **21**
Hilton Dri. *P'wich* 5F **21**
Hilton La. *P'wich* 6D **20**
Hilton Lodge. *P'wich* 5F **21**
Hilton Park. **5F 21**
Hilton Rd. *Bury* 1D **14**
Hilton St. *Bury* 5D **10**
Hilton Wlk. *Midd* 5D **22**
(in two parts)
Hindburn Clo. *W'fld* 6C **16**
Hindburn Wlk. *W'fld* 6C **16**
Hindle St. *Rad* 2G **17**
Hinds La. *Bury* 4A **14**
Hodder Way. *W'fld* 5G **19**
(in three parts)
Holbeach Clo. *Bury* 4B **10**
Holborn Av. *Rad* 1D **16**
Holcombe. **1G 5**
Holcombe Brook. **5G 5**
Holcombe Av. *Bury* 1H **13**
Holcombe Lee. *Rams* 3G **5**
Holcombe M. *Rams* 4F **5**
Holcombe Old Rd. *Holc* 2G **5**
Holcombe Rd. *L Lev* 2A **16**
Holcombe Rd.
  T'ton & G'mnt 2F **9**
Holcombe Village. *Holc* 1G **5**
Holden Av. *Bury* 1G **11**
Holden Av. *Rams* 2G **5**
Holden Rd. *Salf* 6H **21**
Holder Av. *L Lev* 6B **12**
Holhouse La. *G'mnt* 5F **5**
Holland Ct. *Rad* 1A **18**
Holland St. *Rad* 1A **18**
Hollies, The. *Bolt* 3A **12**
Hollinhurst Rd. *Rad* 3A **18**
Hollins. **6E 15**
Hollins Brook Clo. *Uns* 6F **15**
Hollins Brook Way. *Bury* 5F **15**
Hollins Brow. *Bury* 1D **18**
Hollins Clo. *Bury* 1F **19**
Hollins La. *Bury* 6E **15**
Hollin's La. *Rams* 4G **3**
Hollins M. *Uns* 1G **19**
Hollins Vale. **6E 15**
Hollow Meadows. *Rad* 6C **16**
Holly Bank Ind. Est. *Rad* 2F **17**
Holly Bank St. *Rad* 2F **17**
Holly Ct. *Bury* 1E **15**
Hollyedge Dri. *P'wich* 5E **21**
Holly Fold. *W'fld* 4D **18**
Holly Mt. La. *G'mnt* 6D **4**
Holly St. *Bury* 1E **15**
Holly St. *S'seat* 4A **6**
Holly St. *T'ton* 3F **9**
Holme Av. *Bury* 4A **10**
Holmfield Av. *P'wich* 4G **21**
Holthouse Rd. *T'ton* 4E **9**
Holt St. *Rams* 1B **6**
Holt St. W. *Rams* 2H **5**
Holyrood Clo. *P'wich* 1G **21**
Holyrood Ct. *P'wich* 1G **21**
Holyrood Dri. *P'wich* 1G **21**
Holyrood Gro. *P'wich* 1G **21**

Holyrood Rd. *P'wich* 2G **21**
Homer St. *Rad* 2E **17**
Honeywood Clo. *Rams* 4G **5**
Honiton Dri. *Bolt* 5A **12**
Honiton Gro. *Rad* 6D **12**
Hope Pk. Clo. *P'wich* 4F **21**
Hope Pk. Rd. *P'wich* 4F **21**
Hope Rd. *P'wich* 5E **21**
Hope St. *Rams* 2H **5**
Hopwood Clo. *Bury* 2D **18**
Horbury Dri. *Bury* 1A **14**
Horley Clo. *Bury* 2A **10**
Hornby St. *Bury* 4D **10**
Horncastle Clo. *Bury* 4B **10**
Horne St. *Bury* 3C **14**
Hornsea Clo. *Bury* 1F **13**
Horridge St. *Bury* 5H **9**
Horrocks St. *Rad* 1B **18**
Horsham Clo. *Bury* 2A **10**
Hough Fold Way. *Bolt* 6A **8**
Houghton St. *Bury* 2C **14**
Houldsworth St. *Rad* 6F **13**
Hove Clo. *G'mnt* 6E **5**
Howard Hill. *Bury* 6E **15**
Howard St. *Rad* 2H **17**
Howarth Clo. *Bury* 5D **14**
Howe Dri. *Rams* 5H **5**
How La. *Bury* 3C **10**
How Lea Dri. *Bury* 3D **10**
Hoyles Ct. *Rad* 1A **18**
Hoyle St. *Rad* 4A **18**
Hudcar La. *Bury* 5E **11**
Hudswell Clo. *W'fld* 5C **18**
Hughendon Ct. *T'ton* 2F **9**
Hughes Clo. *Bury* 6E **11**
Hulbert St. *Bury* 2A **14**
Hulme Rd. *Rad* 6C **16**
Hulmes Ter. *Bolt* 3C **12**
Hulme St. *Bury* 6B **10**
Humber Dri. *Bury* 1D **10**
Hunstanton Dri. *Bury* 4B **10**
Hunter Dri. *Rad* 1G **17**
Hunters Grn. *Rams* 4F **5**
Hunters Hill. *Bury* 1F **19**
Hunt Fold Dri. *G'mnt* 5F **5**
Huntley Mt. Rd. *Bury* 5F **11**
Huntley St. *Bury* 6F **11**
Hurst Grn. Clo. *Bury* 3F **13**
Hurst St. *Bury* 1E **15**
(in two parts)
Hutchinson St. *Rad* 1A **18**
Hutchinson Way. *Rad* 2G **17**

I

Independent St. *L Lev* 2A **16**
India St. *Bury* 4A **6**
Industrial St. *Rams* 4E **3**
Infant St. *P'wich* 3G **21**
Ingham St. *Bury* 2E **15**
Ingledene Ct. *Salf* 6H **21**
Ingleton M. *Bury* 5H **9**
Inglewhite Clo. *Bury* 4B **14**
Inglewood Clo. *Bury* 5G **11**
Inman St. *Bury* 3C **14**
Inner Relief Rd. *Bury* 1C **14**
Inverbeg Dri. *Bolt* 4A **12**
Ireby Clo. *Midd* 3D **22**
Iris St. *Rams* 1H **5**
Irk Way. *W'fld* 3F **19**
Irwell Clo. *Rad* 3H **17**
Irwell St. *Bury* 1C **14**
Irwell St. *Rad* 6A **16**
(Ford St.)
Irwell St. *Rad* 3H **17**
(Stand La.)
Irwell St. *Rams* 1A **6**
Irwell Vale. **1E 3**
Isa St. *Rams* 3G **5**
Ivy Rd. *Bury* 1H **13**
Ivy St. *Rams* 4F **5**

J

Jackdaw Rd. *G'mnt* 5F **5**
Jackson Clo. *Bury* 6H **9**
Jackson St. *Kear* 6A **16**
Jackson St. *Rad* 3H **17**
Jackson St. *W'fld* 6D **18**
Jacobite Clo. *Salf* 6G **21**

James St. *Bury* 2E **15**
James St. *L Lev* 2B **16**
James St. *P'wich* 2E **21**
(in two parts)
James St. *Rad* 4G **17**
James St. N. *Rad* 3H **17**
Jericho. **1G 11**
Jericho Rd. *Bury* 1G **11**
Jesmond Av. *P'wich* 5F **21**
Jesmond Dri. *Bury* 4A **10**
Jessop Forge. *L Lev* 2A **16**
Johnson St. *Rad.* 3H **17**
John St. *Bury* 6D **10**
John St. *L Lev* 2B **16**
John St. *P'wich* 5A **22**
Jones St. *Rad.* 1H **17**
Joseph St. *Rad* 3H **17**
Joy St. *Rams* 1H **5**
Jubilee Av. *Rad* 4A **18**
Jubilee Way. *Bury* 1B **14**

K

Kate St. *Rams* 1H **5**
Kay Brow. *Rams* 1A **6**
Kay Garden Shop. Cen.
Bury 1C **14**
Kay St. *Bury* 6E **11**
Kay St. *L Lev* 2A **16**
Kay St. *Rams* 3F **3**
Kay St. *S'seat* 4A **6**
Kearsley. **6A 16**
Kearsley Hall Rd. *Rad* 6C **16**
Kearsley Rd. *Rad* 5C **16**
Kearsley Va. *Rad.* 5B **16**
Keats Cres. *Rad* 1E **17**
Keats Rd. *G'mnt* 5F **5**
Keighley Clo. *Bury* 1F **13**
Keld Clo. *Bury* 4H **9**
Kellbrook Cres. *Salf* 6F **21**
(in two parts)
Kelvin Av. *Midd* 6D **22**
Kelwood Av. *Bury* 4H **11**
Kempton Av. *L Lev* 3A **16**
Kendal Dri. *Bury* 4B **14**
Kendal Gro. *W'fld* 5D **18**
Kendal Rd. *Rams* 5G **5**
Kendal Rd. W. *Rams* 5F **5**
Kenilworth Av. *W'fld* 1E **21**
Kenilworth Clo. *Rad* 5F **13**
Kenmor Av. *Bury* 3G **13**
Kenmore Clo. *W'fld* 5F **19**
Kenmore Rd. *W'fld* 5F **19**
Kenmore Way. *W'fld* 5F **19**
Kennedy Dri. *Bury* 3F **19**
Kennedy Dri. *L Lev* 2C **16**
Kensington Av. *Rad* 1D **16**
Kensington Clo. *G'mnt* 6F **5**
Kensington Ct. *Salf* 6G **21**
Kensington Dri. *Bury* 3G **13**
Kent Dri. *Bury* 3D **14**
Kentmere Rd. *Bolt* 2A **12**
Kentsford Dri. *Rad* 6B **12**
Kenyon La. *P'wich* 3G **21**
Kenyon Rd. *Brad F* 6B **12**
Kenyon St. *Bury* 6E **11**
Kenyon St. *Rad* 2H **17**
Kenyon St. *Rams* 6E **3**
Kenyon Way. *T'ton* 4F **9**
Kerenhappuch St. Rams 2H 5
(off Buchanan St.)
Kersal Bar. *Salf* 6G **21**
Kersal Clo. *P'wich* 6E **21**
Kersal Clo. *Salf* 6G **21**
Kersal Crag. *Salf* 6G **21**
Kersal Gdns. *Salf* 6G **21**
Kersal Rd. *P'wich & Salf* 6E **21**
Kersal Va. Ct. *Salf* 6E **21**
Kersal Va. Rd. *Salf* 6D **20**
Kershaw Av. *L Lev* 1A **16**
Kershaw Av. *P'wich* 5D **20**
(in two parts)
Kershaw St. *Bury* 1E **15**
Kestrel Av. *Swin* 5A **20**
Kestrel Clo. *W'fld* 1E **21**
Kestrel Dri. *Bury* 5F **11**
Keswick Dri. *Bury* 4B **14**
Kibboth Crew. *Rams* 6D **2**
Kibworth Clo. *W'fld* 5B **18**
Kilbride Av. *Bolt* 5A **12**
Kilburn Rd. *Rad* 1D **16**
Killer St. *Rams* 6E **3**
Killon St. *Bury* 2E **15**
Kilmory Dri. *Bolt* 5A **12**
Kilner Clo. *Bury* 1F **19**
Kiln St. *L Lev* 2A **16**
Kiln St. *Rams* 2H **5**
Kimble Clo. *G'mnt* 5F **5**
Kingfisher Dri. *Bury* 5F **11**
Kingmoor Av. *Rad* 1H **17**
Kings Av. *W'fld* 3C **18**
Kingsbridge Av. *Bolt* 3D **12**
Kings Clo. *P'wich* 2G **21**
Kingsley Av. *W'fld* 6F **19**
Kingsley St. *Bury* 1H **13**
King's Rd. *P'wich* 5G **21**
Kings Rd. *Rad* 4E **13**
Kingston Clo. *Bury* 3H **13**
Kingston Rd. *Rad* 5A **14**
King St. *Rad* 3H **17**
King St. *Rams* 1A **6**
Kingswood Rd. *P'wich* 2D **20**
Kinross Clo. *Rams* 5G **5**
Kirkburn Vw. *Bury* 4A **10**
Kirkby Clo. *Bury* 4C **14**
Kirkhams. **6F 19**
Kirklees Clo. *T'ton* 2G **9**
Kirklees Ind. Est. *T'ton* 3G **9**
Kirklees St. *T'ton* 2F **9**
Kirklees Wlk. *W'fld* 4F **19**
Kirkman St. *Bury* 2D **18**
Kirkstall Gdns. *Rad* 6E **13**
Kirton Lodge. *P'wich* 3G **21**
(in two parts)
Kitchener St. *Bury* 2H **13**
Knights Clo. *P'wich* 2F **21**
Knight St. *Bury* 1A **14**
Knowl Clo. *Rams* 4A **6**
Knowle Dri. *P'wich* 5E **21**
Knowles St. *Rad* 1G **17**
Knowl Vw. *T'ton* 3G **9**
Knowsley Rd. *A'wth* 2C **12**
Knowsley Rd. *W'fld* 5D **18**
Knowsley St. *Bury* 2C **14**

L

Laburnum Av. *T'ton* 2F **9**
Laburnum Av. *W'fld* 6D **18**
Laburnum Ct. *T'ton* 2F **9**
Laburnum Dri. *Bury* 4E **19**
Laburnum Gro. *P'wich* 2E **21**
Laburnum Lodge. *Bolt* 3A **12**
Ladyshore Rd. *L Lev* 3C **16**
Ladysmith Av. *Bury* 4E **11**
Ladythorne Av. *P'wich* 5E **21**
Ladythorne Ct. *P'wich* 5E **21**
Ladythorne Dri. *P'wich* 5E **21**
Lakeland Cres. *Bury* 5C **14**
Lakeside. *Bury* 6D **14**
Lakeside Ct. *Salf* 6H **21**
Lakeside Way. *Bury* 2D **14**
Lancashire Fusiliers Mus. **2H 13**
Lancaster Av. *Rams* 3G **5**
Lancaster Av. *W'fld* 6E **19**
Lancaster Dri. *Bury* 1D **10**
Lancaster Dri. *L Lev* 1B **16**
Lancaster Dri. *P'wich* 5G **21**
Lancaster St. *Rad* 2E **17**
Lancastrian Ho. *P'wich* 6G **21**
Landore Clo. *Rad* 1H **17**
Lands End Rd. *Midd* 6D **22**
Langdale Dri. *Bury* 2E **19**
Langley Av. *P'wich* 2F **21**
Langley Cres. *P'wich* 1F **21**
Langley Gdns. *P'wich* 1F **21**
Langley Grange. *P'wich* 1F **21**
Langley Gro. *P'wich* 1F **21**
Langley Hall Rd. *P'wich* 1F **21**
Langley La. *Heyw & Midd* 1D **22**
Langley Rd. *P'wich* 2E **21**
Larch Av. *Rad* 4H **17**
Larch St. *Bury* 1F **15**
Larkfield Clo. *G'mnt* 5F **5**
Lathom St. *Bury* 5E **11**
Latrigg Cres. *Midd* 3D **22**
Launceston Rd. *Rad* 6C **12**
Laura St. *Bury* 5A **6**
Laurel St. *Bury* 1F **15**
Laurel St. *T'ton* 3F **9**
Lauria Ter. *A'wth* 2D **12**
Lavender St. *Rad* 2D **16**
Lavenham Clo. *Bury* 2D **18**
Laverton Clo. *Bury* 2H **15**
Lawrence St. *Bury* 1D **18**
Lawrie Av. *Rams* 2H **5**
Layfield Clo. *T'ton* 2D **8**
Leaches Rd. *Rams* 4F **3**
(in two parts)
Leach M. *P'wich* 3D **20**
Leach St. *P'wich* 3D **20**
Lea Fld. Clo. *Rad* 2E **17**
Leamington Av. *Bury* 1C **10**
Lea Mt. Dri. *Bury* 5H **11**
Leeds Clo. *Bury* 2F **19**
Leek St. *Rad* 2E **17**
Leemans Hill St. *T'ton* 4G **9**
Lee St. *Bury* 1D **10**
Leicester Rd. *W'fld* 4B **18**
Leigh Clo. *T'ton* 2E **9**
Leigh La. *Bury* 6G **9**
(in two parts)
Leigh St. *Wals* 5F **9**
Lepp Cres. *Bury* 3A **10**
Leslie Av. *Bury* 2D **18**
Leven Wlk. *W'fld* 5G **19**
Lever Av. *Swin* 5A **20**
Lever Gdns. *L Lev* 1A **16**
Lever St. *L Lev* 1A **16**
Lever St. *Rad* 6F **13**
Lever St. *Rams* 1A **6**
Leyburn Clo. *W'fld* 5C **18**
Leyland St. *Bury* 1D **18**
Leyton Dri. *Bury* 6D **14**
Lichfield Clo. *Rad* 6D **12**
Lichfield Dri. *Bury* 5B **10**
Lichfield Dri. *P'wich* 5G **21**
Lichfield Rd. *Rad* 6D **12**
Liddington Hall Dri. *Rams* 3H **5**
Lilac Av. *Bury* 4B **14**
Lilac Gro. *P'wich* 1E **21**
Lilburn Clo. *Rams* 3A **6**
Lily Hill. **3C 18**
Lily Hill St. *W'fld* 3C **18**
Lima St. *Bury* 6F **11**
Lime Av. *W'fld* 6D **18**
Limefield. **3D 10**
Limefield Brow. *Bury* 2D **10**
Limefield Ct. *Salf* 6H **21**
Limefield Rd. *Bury* 2D **10**
Limefield Rd. *Rad* 2D **16**
Limefield Rd. *Salf* 6H **21**
Lime Gro. *Bury* 2D **10**
Lime Gro. *P'wich* 1E **21**
Lime Gro. *Rams* 6F **3**
Limesdale Clo. *Brad F* 6B **12**
Lime St. *Bury* 3D **10**
Lincoln Av. *L Lev* 3A **16**
Lincoln Dri. *Bury* 3D **14**
Lincoln Dri. *P'wich* 5G **21**
Lincoln Gro. *Bolt* 5A **8**
Lindale Av. *Bury* 2E **19**
Linden Av. *L Lev* 6A **12**
Linden Av. *Rams* 1B **6**
Linden Clo. *Rams* 3F **3**
Lindley St. *L Lev* 2B **16**
Lindow Clo. *Bury* 3H **9**
Lindrick Av. *W'fld* 1B **20**
Lingfield Clo. *Bury* 2A **10**
Lingholme Dri. *Midd* 3D **22**
Links Cres. *P'wich* 5H **21**
Links Rd. *Bolt* 6A **8**
Links Vw. *P'wich* 6E **21**
Links Vw. Ct. *W'fld* 6B **18**
Linksway. *P'wich* 5H **21**
Linksway Dri. *Bury* 2E **19**
Linley Gro. *Rams* 5G **5**
Linley St. *Rad* 6C **14**
Linnet Dri. *Bury* 5F **11**
Linton Av. *Bury* 4D **10**
Linton Va. Rad 5B 16
(off Market St.)
Lister Rd. *Midd* 6D **22**
Litchfield Ct. *Midd* 6D **22**
Little Lever. **2B 16**
Little 66. *Bury* 4F **15**
Littlewood. **4D 10**
Littlewood Av. *Bury* 4D **10**
Livsey St. *W'fld* 5D **18**
Lodge Brow. *Rad* 3H **17**
Lodge Dri. *Bury* 2G **13**
Lodge M. *Rams* 1A **6**
Lodge Mill La. *Rams* 4H **3**
Lodge Rd. *Rad* 3H **17**
Lodge St. *Rams* 5G **3**
(Bye Rd.)
Lodge St. *Rams* 1A **6**
(Kay Brow)
Logwood Av. *Bury* 6B **10**
Lomax St. *Bury* 6E **11**
Lomax St. *G'mnt* 6F **5**
Lomax St. *Rad* 3G **17**
Lomax St. *W'fld* 3C **18**
Lomond Dri. *Bury* 5H **9**
London St. *W'fld* 6D **18**
Longfield. *Bury* 4E **11**
Longfield. *P'wich* 2E **21**
Longfield Shop. Cen.
P'wich 2E **21**
Long La. *Bury* 2C **10**
Longridge Dri. *Bury* 3G **13**
Longsight Rd.
Rams & G'mnt 4G **5**
Longton St. *Bury* 1D **18**
Lonsdale St. *Bury* 1A **14**
Lord St. *Bury* 1D **14**
Lord St. *Heap B* 2G **15**
Lord St. *L Lev* 2B **16**
Lord St. *Rad* 2G **17**
Lorton Clo. *Midd* 3D **22**
(in two parts)
Lorton Gro. *Bolt* 3A **12**
Lostock Dri. *Bury* 3D **10**
Lostock Wlk. *W'fld* 4G **19**
Louis Av. *Bury* 5D **10**
Lovat Rd. *Bolt* 4A **12**
Love La. *Rams* 4G **3**
Lwr. Bank St. *Bury* 1C **14**
Lower Chesham. *Bury* 6F **11**
Lower Croft. *W'fld* 1A **20**
Lowercroft Dri. *Bury* 1F **13**
Lowercroft Rd. *Bury* 1E **13**
Lower Hinds. **3B 14**
Lwr. Moss La. *W'fld* 5D **18**
Lwr. Nuttall Rd. *Rams* 3B **6**
Lower Rd. *Rams* 5F **3**
Lower Summerseat. **6A 6**
Lwr. Woodhill Rd. *Bury* 6B **10**
(in two parts)
Lowes Rd. *Bury* 3D **10**
Lowe St. *Rad* 1F **17**
Lowry Ct. *W'fld* 3B **18**
Low St. *Rams* 1A **6**
Lowther Clo. *P'wich* 4E **21**
Lowther Ct. *P'wich* 4D **20**
Lowther Rd. *P'wich* 4D **20**
Lowton St. *Rad* 1G **17**
Loynd St. *Rams* 1B **6**
Lucas St. *Bury* 6E **11**
Ludlow Av. *W'fld* 1F **21**
Lulworth Clo. *Bury* 3A **10**
Lumb Carr Av. *Rams* 3G **5**
Lumb Carr Rd. *Holc* 4G **5**
Lumn's La. *Swin* 5A **20**
Lumn St. *Bury* 1D **10**
Lund Av. *Rad* 5H **17**
Lune Clo. *W'fld* 4E **19**
Lune Dri. *W'fld* 5E **19**
Lune Wlk. *W'fld* 5E **19**
Luton St. *Bury* 2H **13**
Lydford Gdns. *Bolt* 6A **12**
Lydgate Clo. *W'fld* 4E **19**
Lydgate Wlk. *W'fld* 4E **19**
Lyndon Clo. *T'ton* 3F **9**
Lynmouth Clo. *Rad* 1A **18**
Lynmouth Ct. *P'wich* 4D **20**
Lynmouth Gro. *P'wich* 4D **20**
Lynton Dri. *P'wich* 1G **21**
Lynton Lea. *Rad* 1A **18**
Lynton Ter. *Rad* 6B **16**
Lyons Dri. *Bury* 2G **13**

M

Mafeking Av. *Bury* 4E **11**
Main Rd. *Swin* 4B **20**
Major St. *Rams* 1H **5**
Maldon Clo. *L Lev* 2A **16**
Malham Dri. *W'fld* 5E **19**
Mall, The. *Bury* 1D **14**
Malton Av. *W'fld* 3D **18**
Malton Clo. *W'fld* 3D **18**
Malvern Av. *Bury* 4D **10**
Malvern Clo. *P'wich* 2G **21**
Manchester Old Rd. *Bury* 2C **14**

Manchester Old Rd. Midd 6D 22
Manchester Rd. Bury 1C 14
Manchester Rd.
  Rams & Walm 1C 6
Manchester Rd. W'fld 3D 18
Mandeville Ter. Hawk 5B 4
Mandley Clo. L Lev 6A 12
Mandon Clo. Rad 6E 13
Manesty Clo. Midd 3D 22
Manley Clo. Bury 5A 6
Manor Av. L Lev 2C 16
Manor Ga. Rd. Bolt 3A 12
Manor Heath. Salf 6G 21
Manor St. Bury 1E 15
Manor St. Rams 6D 2
  (in two parts)
Mansfield Av. Rams 5H 5
Mansion Av. W'fld 2C 18
Maple Av. Bury 6F 11
Maple Av. W'fld 6D 18
Maple Gro. P'wich 1E 21
Maple Gro. Rams 2B 6
Maple Gro. T'ton 4G 9
March Dri. Bury 4B 10
Mardale Clo. Bolt 2A 12
Mardale Clo. P'wich 6G 19
Mardale Dri. Bolt 2A 12
Margaret St. Bury 2D 14
Market Chambers. Rams 6E 3
  (off Ramsbottom La.)
Market Pde. Bury 1D 14
Market Pl. Bury 1C 14
Market Pl. Rad 3H 17
Market Pl. Rams 2F 3
  (Bury Rd.)
Market Pl. Rams 6D 2
  (Carr St.)
Market St. Bury 2D 14
  (Angouleme Way)
Market St. Bury 1C 14
  (Bolton St., in two parts)
Market St. L Lev 2A 16
Market St. Rad 5B 16
Market St. Rams 1F 3
Market St. T'ton 2F 9
Markland St. Rams 1H 5
Marks St. Rad 2G 17
Marlborough Clo. Rams 4A 6
Marle Cft. W'fld 1A 20
Marlow Clo. Bolt 2A 12
Marquis Av. Bury 5C 10
Marsden St. Bury 6D 10
Marsden Wlk. Rad 1F 17
Marsh La. L Lev 1B 16
Marsh Rd. L Lev 1A 16
Marston Clo. W'fld 5G 19
Martin Av. L Lev 2C 16
Martingale Clo. Rad 6G 13
Martin Gro. Kear 6A 16
Martin Rd. Swin 5A 20
Martin St. Bury 6H 11
Marton Grange. P'wich 4H 21
Marwood Clo. Rad 5A 16
Mary St. Bury 3D 10
Mary St. Rams 2H 5
Masefield Av. P'wich 4D 20
Masefield Av. Rad 1E 17
Masefield Rd. L Lev 1B 16
Mason St. Bury 1E 15
Massey St. Bury 6F 11
Mather Av. P'wich 6G 21
Mather Av. W'fld 3D 18
Mather Clo. W'fld 4D 18
Mather Rd. Bury 2D 10
Mather St. Rad 2G 17
Matthews Av. Kear 6A 16
Maudsley St. Bury 2C 14
Maxwell St. Bury 6F 11
Mayfair. Salf 6G 21
Mayfair Av. Rad 1D 16
Mayfair Gro. W'fld 6D 18
Mayfield. Rad 3E 17
Mayfield Clo. Rams 5G 5
Mayfield Rd. Rams 5G 5
Mayfield Rd. Salf 6F 21
Mayor St. Bury 6A 10
May St. Rad 2G 17
Meade Hill Rd. P'wich 4H 21
Meadfoot Av. P'wich 4G 21
Meadon Av. Swin 6A 20
Meadowbrook Clo. Bury 5G 11

Meadow Clo. L Lev 3B 16
Meadowcroft. Rad 6F 13
Meadow Cft. W'fld 1A 20
Meadow La. Bolt 4A 12
Meadow Pk. Rams 1E 3
  (in three parts)
Meadowside Clo. Rad 6G 13
Meadows La. Bolt 6A 8
Meadows, The. P'wich 3F 21
Meadows, The. Rad 6E 13
Meadows, The. W'fld 6A 18
Meadow Way. S'seat 5A 6
Meadow Way. T'ton 3E 9
Meadway. Bury 5D 14
Meadway. Rams 4E 3
Medlock Way. W'fld 5G 19
Megabowl Bowling Alley . . 5F 15
Mellor Dri. Bury 4B 14
Mellor St. P'wich 3D 20
Mellor St. Rad 3H 17
  (in two parts)
Melrose Av. Bury 6A 10
Melrose Clo. W'fld 3D 18
Melrose Gdns. Rad 6E 13
Melrose Rd. L Lev 2A 16
Melrose Rd. Rad 6E 13
Melrose St. Bury 5H 5
Melton Dri. Bury 6E 15
Melton Row. Rad 1F 17
  (off Melton St.)
Melton St. Rad 1F 17
Melton Wlk. Rad 1F 17
  (off Melton St.)
Melton Way. Rad 1F 17
  (off Melton St.)
Mendip Clo. Bolt 4A 12
Mendip Cres. Bury 6G 9
Mendip Dri. Bolt 5A 12
MENTAL HEALTH SERVICES FOR
** SALFORD. 2D 20**
Mere Clo. Uns 6F 15
Meriden Clo. Rad 5F 13
Merlewood. Rams 2G 3
Merlin Dri. Swin 5A 20
Mersey Clo. W'fld 4F 19
Mersey Dri. W'fld 4F 19
Mersey Sq. W'fld 4F 19
Merton Rd. P'wich 2G 21
Merton St. Bury 6B 10
Mesnefield Rd. Salf 6E 21
Metcalf Ter. A'wth 2D 12
Mets Art Cen. 1C 14
  (off Market St.)
Mews, The. P'wich 4F 21
Mews, The. W'fld 5B 18
  (in two parts)
Michael Wife La. Rams 2G 3
Middlesex Dri. Bury 3D 14
Middleton Clo. Rad 4F 13
Middleton Dri. Bury 2D 18
Middleton Rd. M8 & Midd. 6C 22
  (in two parts)
Milbourne Rd. Bury 3D 10
Milburn Rd. Bury 3A 12
Mildred Av. P'wich 6G 21
Mile La. Bury 2F 13
Milk St. Rams 2H 5
Mill Bank. Rad 3H 17
Miller St. Bury 5A 6
Miller St. Rad 5F 13
Millett St. Bury 1B 14
Millett St. Rams 6F 3
Millfield Rd. Bolt 4A 12
Mill Ga. Cen. Bury 1D 14
Millhouse St. Rams 5G 3
Mill La. Bury 5H 9
Millom Dri. Bury 3E 19
Mill Rd. Bury 1D 10
Mill St. Rad 3G 17
  (in two parts)
Mill St. Rams 3G 5
Mill St. T'ton 2F 9
Milltown Clo. Rad 3H 17
Milltown St. Rad 3H 17
Millwood Ct. Bury 5D 14
Mill Yd. Bury 6E 11
Milner Av. Bury 4D 10
Milner St. Rad 2E 17
Milton Av. L Lev 1B 16
Milton Rd. P'wich 2G 21
Milton Rd. Rad 1D 16
Milton St. Rams 1H 5

Minden Clo. Bury 1H 13
Minden Pde. Bury 1D 14
Mint St. Rams 3E 3
Mitchell St. Bury 5A 10
Mitre St. Bury 6B 10
Mitton Clo. Bury 1E 13
Mizpah Gro. Bury 1H 13
Modbury Ct. Rad 6B 16
Mode Hill La. W'fld 5G 19
Mode Hill Wlk. W'fld 5G 19
Moffat Clo. Bolt 5H 19
Monmouth Av. Bury 4D 10
Monsall Clo. Bury 3E 19
Montgomery Dri. Bury 3F 19
Montgomery Way. Rad 6C 12
Monton St. Rad 2F 17
Montpellier M. Salf 6H 21
Montrose Av. Rams 5G 5
Moorbottom Rd. Holc 6A 2
Moor Clo. Rad 6E 13
Moorcroft. Rams 3F 3
Moor End Av. Salf 6G 21
Moor End Clo. Salf 6G 21
Moorfield. Salf 6G 21
Moorgate. Bury 6E 11
Moorgate Retail Pk. Bury 6E 11
Moorgate Rd. Rad 3E 13
Moorhill Ct. Salf 6G 21
Moor La. Salf 6E 21
Moor Rd. Holc 5C 2
  (Alba St., in two parts)
Moor Rd. Holc 1B 2
  (Helmshore Rd., in two parts)
Moorside Av. A'wth 2D 12
Moor Side La. Rams 6H 3
  (in two parts)
Moorside Rd. Salf 6G 21
Moorside Rd. T'ton 3E 9
Moorside Vw. T'ton 3F 9
Moor St. Bury 6D 10
Moors Vw. Rams 1H 5
Moor Way. Hawk 4B 4
Morar Dri. Bolt 4A 12
Moray Clo. Rams 3G 5
Moreton Av. W'fld 4D 18
  (in two parts)
Moreton Dri. Bury 6H 9
Morley Rd. Rad 1D 16
Morley St. Bury 3D 14
Morley St. W'fld 5D 18
Morris St. Rad 6C 14
Morton St. Rad 3H 17
Morven Gro. Bolt 4A 12
Mosley Av. Bury 4D 10
Mosley Av. Rams 5H 5
Mosley St. Rad 1F 17
Moss Clo. Rad 6D 12
Mossfield Clo. Bury 6G 11
Moss Hall Rd.
  Bury & Heyw . . . 2H 15 & 1C 11
Moss La. W'fld 5D 18
Moss La. Ind. Est. W'fld 4D 18
Moss La. Trad. Est. W'fld 4E 19
Moss Pl. Bury 3C 14
Moss Row. Bury 2D 14
Moss Shaw Way. Rad 6D 12
  (in two parts)
Moss Side. Bury 4G 9
Moss St. Bury 1C 14
Moss St. S'seat 5B 6
Mostyn Av. Bury 4D 10
Mottershead Av. L Lev 1A 16
Mountbatten Clo. Bury 3F 19
Mountfield. P'wich 3F 21
Mountheath Ind. Pk. P'wich . . . 6F 21
Mount Pleasant. Bury 4D 6
Mount Pleasant. Midd 5C 22
  (in two parts)
Mount Pleasant. P'wich 5A 22
Mt. Pleasant Wlk. Rad 1G 17
  (in two parts)
Mount Rd. P'wich 6G 19
Mountside Cres. P'wich 3D 20
Mt. Sion Rd. Rad 3D 16
Mount St. Rams 6D 2
Mt. Zion Rd. Bury 6D 14
Mowbray Av. P'wich 5G 21
Moyse Av. Wals 5F 9
Muirfield Clo. P'wich 2F 21
Murray Rd. Bury 1D 14
Myrtle Bank. P'wich 6E 21
Myrtle Gdns. Bury 1F 15

Myrtle Gro. P'wich 5F 21
Myrtle Gro. W'fld 3B 18
Myrtle St. N. Bury 1F 15
Myrtle St. S. Bury 1F 15
Mytham Gdns. L Lev 3B 16
Mytham Rd. L Lev 2B 16

N

Nabbs Fold. G'mnt 4F 5
Nabbs Way. G'mnt 6G 5
Naden Wlk. W'fld 5E 19
Nandywell. L Lev 2B 16
Naseby Ct. P'wich 2G 21
Naseby Pl. P'wich 2G 21
Naseby Wlk. W'fld 5G 19
Near Hey Clo. Rad 2E 17
Neath Clo. W'fld 6G 19
Needham Ct. W'fld 6D 18
Nell Carrs. Rams 5G 3
Nelson St. Bury 3D 14
  (in two parts)
Nelson St. L Lev 2B 16
Nero St. Rams 6G 3
Neston Rd. Wals 5F 9
Netley Gdns. Rad 1E 17
Nevile Rd. Salf 6F 21
Newark Av. Rad 6C 12
Newbold St. Bury 1A 14
Newbold St. Rad 1A 12
New Cateaton St. Bury 6D 10
New Church Ct. Rad 2H 17
New Church Ct. W'fld 6D 18
  (off Elizabeth St.)
New Church Wlk. Rad 2G 17
Newcombe Rd. Rams 6G 5
New Cross St. Rad 2H 17
Newfield Clo. Rad 2E 17
New George St. Bury 6A 10
Newhall Av. Brad F 5B 12
New Hall Av. Salf 6H 21
New Hall Rd. Bury 1G 11
New Hall Rd. Salf 6H 21
Newham Dri. Bury 2H 13
Newhaven Clo. Bury 2A 10
Newington Dri. Bury 2G 13
Newlands Av. W'fld 4C 18
Newlands Dri. P'wich 2E 21
Newmarket Rd. L Lev 3A 16
Newport St. T'ton 4G 9
Newquay Av. Bolt 2D 12
New Riven Ct. L Lev 1A 16
  (in two parts)
New Rd. Rad 3H 17
New St. Rad 3H 17
New St. T'ton 3F 9
New vernon Dri. G'mnt 6G 5
Newton Av. Midd 6D 22
Newton St. Bury 3D 10
Newton Ct. P'wich 3G 21
Newtown M. P'wich 3G 21
Newtown St. P'wich 3G 21
New Vernon St. Bury 5D 10
Nipper La. W'fld 3C 18
Nob End. 3A 16
Nook, The. Bury 2H 15
Noreen Av. P'wich 2G 21
Norfolk Av. W'fld 3C 18
Norfolk Clo. L Lev 1B 16
Normandy Cres. Rad 2F 17
Norman St. Bury 5F 11
Norman St. Rad 1B 18
  (off Sandford St.)
Norris St. L Lev 2A 16
North Av. G'mnt 6F 5
North Av. Uns 1F 19
N. Back Rd. Bury 1D 14
  (off Rock, The)
N. Back Rd. Bury 1D 14
  (off Tithebarn St.)
N. Blackfield La. Salf 6G 21
North Circ. W'fld 1E 21
Northern Av. Swin 4A 20
Northfield Rd. Bury 3D 10
Northlands. Rad 6E 13
Northleach Clo. Bury 6H 9
Northleigh Dri. P'wich 4H 21
North Pde. P'wich 2D 20
North St. Rad 1A 18
North St. Rams 3E 3

North Vw. *Bury* 5H 5
North Vw. *Rams* 3E 3
North Vw. *W'fld* 3C 18
North Woodley. *Rad* 5A 18
Norton Grange. *P'wich* 4H 21
Norwich Dri. *Bury* 6B 10
Norwood. *P'wich* 5F 21
Norwood Av. *Salf* 6F 21
Nursery Brow. *Rad* 5H 17
Nursery Rd. *P'wich* 1E 21
Nuttall 3A 6
Nuttall Av. *L Lev* 2C 16
Nuttall Av. *W'fld* 5D 18
Nuttall Clo. *Rams* 2A 6
Nuttall Hall Cotts. *Rams* 2B 6
Nuttall Hall Rd. *Rams* 3B 6
Nuttall Lane 2A 6
Nuttall La. *Rams* 2H 5
Nuttall M. *W'fld* 5D 18
Nuttall Sq. *Bury* 6D 14
Nuttall St. *Bury* 2E 15
Nutt La. *P'wich* 5A 22

O

Oak Av. *L Lev* 2B 16
Oak Av. *Rams* 5G 5
Oak Av. *W'fld* 6D 18
Oak Bank 5E 19
Oak Bank. *P'wich* 6D 20
Oak Bank Clo. *W'fld* 5F 19
Oakdale Clo. *W'fld* 5B 18
Oakes St. *Kear* 6A 16
Oakfield. *P'wich* 4H 21
Oakham Clo. *Bury* 4B 10
Oakham M. *Salf* 6G 21
Oakhill Clo. *Bolt* 4A 12
Oaklands Dri. *P'wich* 3F 21
Oaklands Rd. *Rams* 3F 3
Oaklands Rd. *Salf* 6F 21
Oak La. *W'fld* 5F 19
Oakley Clo. *Rad* 5G 17
Oak St. *Rad* 4A 18
Oak St. *Rams* 2H 5
Oakwell Dri. *Bury* 2F 19
Oakwell Dri. *Salf* 6H 21
Oakwell Mans. *Salf* 6H 21
Oakwood Clo. *Bury* 6H 9
Ogden Clo. *W'fld* 4E 19
Ogden St. *P'wich* 3G 21
Ogden Wlk. *W'fld* 5E 19
Ogwen Dri. *P'wich* 2F 21
Okehampton Clo. *Rad* 6C 12
Okeover Rd. *Salf* 6H 21
Old Doctors St. *T'ton* 2F 9
Old Engine La. *Rams* 1B 6
Oldfield Rd. *P'wich* 6G 19
Old Green. *G'mnt* 6F 5
Old Ground St. *Rams* 1A 6
Old Hall Clo. *Bury* 2H 9
Old Hall Ct. *W'fld* 6A 18
Old Hall La. *P'wich & Midd* 5B 22 (in four parts)
Old Hall La. *W'fld* 1A 20 (in two parts)
Old Hall Rd. *Salf* 6H 21
Old Hall Rd. *W'fld* 6A 18
Old La. *Bury* 1D 10
Old Nans La. *Bolt* 1A 12
Old Oak Clo. *Bolt* 6B 12
Old Towns Clo. *T'ton* 2F 9
Old Wood La. *Bolt* 3A 12 (in two parts)
Olivant St. *Bury* 3C 14
Olive Bank. *Bury* 5H 9
Olive St. *Bury* 1B 14
Olive St. *Rad* 2A 18
Olsberg Clo. *Rad* 1A 18
Openshaw Fold Rd. *Bury* 4B 14 (in two parts)
Openshaw St. *Bury* 2E 15
Oram St. *Bury* 5E 11 (in two parts)
Orange Hill Rd. *P'wich* 2G 21
Orchard Ct. *Bury* 4C 14
Orchard Gdns. *Bolt* 6A 8
Orchard Wlk. G'mnt 6F 5 (off Lomax St.)
Orchid Dri. *Bury* 4E 15
Orford Rd. *P'wich* 2F 21
Orkney Clo. *Rad* 1H 17
Ormond St. *Bury* 6E 11
Ormrod St. *Bury* 1E 15
Ormskirk Clo. *Bury* 3G 13
Orpington Dri. *Bury* 2H 13
Orrell St. *Bury* 6B 10
Orwell Clo. *Bury* 5B 10
Osborne Clo. *Bury* 3H 13
Osborne Ho. Rad 2F 17 (off Bolton Rd.)
Osborne Wlk. *Rad* 1E 17
Ostrich La. *P'wich* 4G 21
Oswestry Clo. *G'mnt* 1E 9
Otterbury Clo. *Bury* 1F 13
Otter Dri. *Bury* 1F 19
Outwood 5F 17
Outwood Rd. *Rad* 3G 17
Overbrook Dri. *P'wich* 4F 21
Owler Barrow 6G 9
Owlerbarrow Rd. *Bury* 6G 9
Oxbow Way. *W'fld* 5E 19
Oxford Av. *W'fld* 5E 19
Oxford Rd. *L Lev* 2A 16
Oxford St. *Bury* 2E 15
Ox Hey Clo. *Rams* 6E 3
Ox St. *Rams* 2H 5

P

Paddock, The. *Rams* 6D 2
Paddock, The. *W'fld* 6A 18
Padiham Clo. *Bury* 4B 14
Palace St. *Bury* 1E 15
Palatine Dri. *Bury* 1D 10
Palatine St. *Rams* 1A 6
Palmerston Clo. *Rams* 3H 5
Paradise St. *Rams* 6E 3
Park Av. *P'wich* 3F 21
Park Av. *Rad* 1B 18
Park Av. *Rams* 1B 6
Park Av. *W'fld* 1B 20
Park Clo. *W'fld* 1D 20
Parker St. *Bury* 1E 15
Parkfield Av. *P'wich* 4H 21
Parkgate. *Wals* 4E 9
Park Gro. *Rad* 1F 17
Park Hill. *P'wich* 6H 21
Pk. Hill Dri. *W'fld* 5C 18
Parkhills Rd. *Bury* 3C 14
Parkinson St. *Bury* 4D 10
Parklands. *W'fld* 5C 18 (Higher La.)
Parklands. *W'fld* 3D 18 (Well La.)
Parklands, The. *Rad* 6B 16
Park Lane 6B 18
Park La. *Salf* 6H 21
Park La. *W'fld* 6B 18
Park La. Ct. *W'fld* 6B 18
Park Lodge. *Salf* 6H 21
Park M. *Rad* 1A 18
Park Pl. *P'wich* 2G 21
Park Rd. *Bury* 5C 10
Park Rd. *L Lev* 1A 16
Park Rd. *P'wich* 4H 21
Park Rd. *Rams* 4F 5
Park Seventeen. *W'fld* 4D 18
Parkside Clo. *Rad* 1B 18
Parkside Wlk. *Bury* 2D 14
Park 66. *Bury* 5F 15
Parkstone Av. *W'fld* 1B 20
Parkstone Clo. *Bury* 1F 13
Parkstone Ct. *L Lev* 2C 16
Park St. *P'wich* 3G 21
Park St. *Rad* 1A 18
Park St. *Salf* 6H 21
Parksway. *P'wich* 5G 21
Parks Yd. *Bury* 1C 14
Park Ter. *W'fld* 6B 18
Pk. View Ct. *P'wich* 4E 21
Pk. View Rd. *P'wich* 4F 21
Parkville Rd. *P'wich* 6G 19
Parliament Pl. *Bury* 2C 14
Parliament St. *Bury* 2C 14
Parnham Clo. *Rad* 6B 12
Parrbrook Clo. *W'fld* 4E 19
Parrbrook Wlk. *W'fld* 4F 19
Parrenthorn Rd. *P'wich* 5G 19
Parr Fold. *Bury* 3F 19
Parr La. *Bury* 4E 19
Parsonage Clo. *Bury* 6E 11
Parsonage Rd. *Rad* 6C 16
Parsonage St. *Bury* 6E 11
Parsonage St. *Rad* 1G 17
Parsons La. *Bury* 1D 14
Parth St. *Bury* 2H 15
Patmos St. *Rams* 1B 6
Patterdale Dri. *Bury* 4C 14
Patton Clo. *Bury* 3F 19
Pavilion Wlk. *Rad* 2F 17
Peach St. *P'wich* 2G 21
Pear Av. *Bury* 6G 11
Pearl Av. *Salf* 6H 21
Pearson St. *Bury* 6F 11
Pear St. *P'wich* 2G 21
Peel Av. *Rams* 2G 5
Peel Brow 6F 3
Peel Brow. *Rams* 1A 6
Peel Hall Rd. *S'seat* 5H 5
Peel Ind. Est. *Bury* 6C 10
Peel Mt. *Rams* 3G 5
Peel St. *Rad* 3H 17
Peel Vw. *T'ton* 3G 9
Peel Way. *Bury* 1C 14
Peers Dri. *T'ton* 4F 9
Peers St. *Bury* 1A 14
Pembroke Dri. *Bury* 4C 14
Pendennis Clo. *Rad* 6C 12
Pendlebury Clo. *P'wich* 5D 20
Pendlebury St. *Rad* 2G 17
Pendle Clo. *Bury* 6H 9
Pennant Dri. *P'wich* 2E 21
Pennine Clo. *Bury* 5G 9
Pennington St. *Wals* 5E 9
Penrhyn Dri. *P'wich* 3F 21
Penrice Clo. *Rad* 6D 12
Penrith Av. *W'fld* 6F 19
Penryn Ct. *Salf* 6H 21
Percy St. *Bury* 6E 11
Percy St. *Rams* 2H 5
Perrymead. *P'wich* 1G 21
Peter St. *Bury* 6D 10
Peter St. *Midd* 6D 22
Peveril Clo. *W'fld* 6G 19
Philips Dri. *W'fld* 1B 20
Philips Pk. Rd. E. *W'fld* 1D 20
Philips Pk. Rd. W. *W'fld* 2A 20
Philips Sports Cen. 5C 18
Phillips Pl. *W'fld* 6D 18
Phoenix Cen., The. *L Lev* 2C 16
Phoenix St. *Bury* 1C 14
Phoenix Way. *Rad* 3G 17
Pickering Clo. *Bury* 4H 9
Pickering Clo. *Rad* 5A 16
Pickford Av. *L Lev* 2C 16
Pilkington Dri. *W'fld* 3F 19
Pilkington Rd. *Kear* 6A 16
Pilkington Rd. *Rad* 6F 13
Pilkington St. *Rams* 2H 5
Pilkington Way. *Rad* 2G 17
Pilling St. *Bury* 6A 10
Pilot St. *Bury* 2E 15
Pilsworth Ind. Est. *Bury* 4F 15
Pilsworth Rd. *Bury* 5E 15 (in two parts)
Pilsworth Rd. Ind. Est. *Bury* 5E 15
Pilsworth Way. *Bury* 5E 15
Pimhole 2E 15
Pimhole Fold. *Bury* 2E 15
Pimhole Rd. *Bury* 1E 15
Pimlott Gro. *P'wich* 5D 20
Pine Av. *W'fld* 6D 18
Pine Gro. *P'wich* 1E 21
Pine Meadows. *Rad* 6C 16
Pine St. *Bury* 6F 11
Pine St. *Rad* 1H 17
Pine St. N. *Bury* 1F 15 (in two parts)
Pine St. S. *Bury* 1F 15
Pinewood Cres. *Rams* 5H 5
Pinfold Ct. *W'fld* 5C 18
Pinfold La. *W'fld* 5C 18
Pinners Clo. *Rams* 6D 2
Pioneer Rd. *Swin* 5B 20
Pitfield La. *Bolt* 6A 8
Pitt St. *Rad* 2E 17
Plantation Gro. *Uns* 1G 19
Plantation Rd. *Tur* 1A 4
Plantation Vw. *Bury* 4A 6
Pleasant St. *Wals* 5F 9
Pleasant Vw. *Rad* 5H 17
Pleasington Dri. *Bury* 1E 13
Plover Dri. *Bury* 5F 11
Plumpton Dri. *Bury* 3C 10
Plunge Rd. *Rams* 2G 3
Plymouth Gro. *Rad* 6D 12
Pole Ct. *Bury* 2G 19
Polefield App. *P'wich* 1F 21
Polefield Circ. *P'wich* 1F 21
Polefield Gdns. *P'wich* 1F 21
Polefield Grange. *P'wich* 1F 21
Polefield Gro. *P'wich* 1F 21
Polefield Hall Rd. *P'wich* 1F 21 (in two parts)
Polefield Rd. *P'wich* 1G 21
Pole La. *Bury & P'wich* 2G 19
Pollards La. *S'seat* 5A 6
Pollitt St. *Rad* 2A 18
Pool Bank St. *Midd* 6D 22 (in two parts)
Pooley Clo. *Midd* 4D 22
Pool Fld. Clo. *Rad* 2D 16
Poplar Av. *Bury* 6F 11
Poplar Dri. *P'wich* 5E 21
Poplar Gro. *Rams* 6F 3
Poppythorn La. *P'wich* 2E 21 (in two parts)
Porchester Dri. *Rad* 6C 12
Porritt St. *Bury* 5E 11 (in two parts)
Porritt Way. *Rams* 6E 3
Porter St. *Bury* 5D 10
Portinscale Clo. *Bury* 6H 9
Portland Ind. Est. Bury 5E 11 (off Portland St.)
Portland St. *Bury* 5E 11
Portugal Rd. *P'wich* 5F 21
Pot Green 4F 5
Potter St. *Bury* 6E 11
Potter St. *Rad* 1B 18
Powell St. *Bury* 2H 13
Poynton Clo. *Bury* 2E 15
Precinct, The. *Rams* 4F 5
Preesall Clo. *Bury* 3F 13
Prenton Way. *Wals* 4F 9
Prescot Clo. *Bury* 2E 15
Prestbury Clo. *Bury* 2E 15
Prestfield Rd. *W'fld* 6E 19
Prestolee 5A 16
Prestolee Rd. *Bolt* 4A 16 (in two parts)
Prestwich 2E 21
Prestwich Hills. *P'wich* 4E 21
Prestwich Park 4E 21
Prestwich Pk. Rd. S. *P'wich* 4E 21
Prettywood 1H 15
Price St. *Bury* 2E 15
Primrose Bank. *T'ton* 2E 9
Primrose Clo. *Bolt* 5A 8
Primrose Dri. *Bury* 5H 11
Prince's Av. *L Lev* 1B 16
Princess Av. *P'wich* 5G 21
Princess Ct. *P'wich* 4F 21
Princess Pde. *Bury* 1D 14
Princess Rd. *P'wich* 3G 21
Princess St. *Rad* 2E 17
Prince St. *Rams* 1A 6
Proctor St. *Bury* 2A 14
Prospect Av. *Bolt* 6A 8
Prospect Ct. *T'ton* 2F 9
Prospect Ter. *Bury* 5B 10
Pulborough Clo. *Bury* 2H 9
Purbeck Dri. *Bury* 3A 10
Purdon St. *Bury* 3D 10

Q

Quakers Fld. *T'ton* 1F 9
Quarlton Dri. *Hawk* 4B 4
Quarry Rd. *Kear* 6A 16
Quarry St. *Rad* 2H 17
Quarry St. *Rams* 1B 6 (in two parts)
Queen Anne Clo. *Uns* 1G 19
Queen's Av. *L Lev* 1A 16
Queen's Dri. *P'wich* 5G 21
Queens Pl. *Bury* 5A 6
Queen St. *Bury* 1E 15
Queen St. *Rad* 3A 18

Queen St.—Seddon St.

Queen St. Rams 1H 5
Queen St. T'ton 4G 9

R

Racecourse Wlk. Rad 1F 17
Radcliffe. 2F 17
Radcliffe Moor Rd.
Bolt & Rad 5B 12
Radcliffe New Rd. W'fld 3A 18
Radcliffe Rd. Bolt 6A 12
Radcliffe Rd. Bury. 4B 14
Radcliffe Swimming Pool. . . 2G 17
Radelan Gro. Rad 1D 16
Raglan Av. W'fld 6F 19
Railway App. Rad 2H 17
Railway St. Bury. 5A 6
Railway St. Rad 2G 17
Railway St. Rams 1A 6
Railway St. W. Bury 5H 5
Railway Ter. Bury 2A 14
Railway Ter. S'seat 5A 6
(off Miller St.)
Rainsough. 6E 21
Rainsough Av. P'wich 6E 21
Rainsough Brow. P'wich. 6D 20
Rainsough Clo. P'wich 6E 21
Rainsough Hill. P'wich 6D 20
Rake La. Swin. 5A 20
Rake St. Bury. 5D 10
Rake, The. Rams 1H 5
Ramsbottom. 2H 5
RAMSBOTTOM COTTAGE
HOSPITAL. 2H 5
Ramsbottom Heritage Cen. . . 6D 2
(off Carr St.)
Ramsbottom La. Rams 6E 3
Ramsbottom Rd.
Tur & Hawk. 5A 4
Ramsbottom Row. P'wich. . . . 3E 21
Ramsbottom Swimming Pool.
. . . . 6E 3
Ramsey Gro. Bury 1H 13
Ramsgreave Clo. Bury 4B 14
Randale Dri. Bury 2E 19
Randlesham St. P'wich. 3G 21
Randolph Rd. Kear 6A 16
Rannoch Rd. Bolt 4A 12
Ravens Clo. P'wich. 5H 21
Ravens Pl. P'wich. 5H 21
Raven St. Bury. 5D 10
Ravensway. P'wich. 5H 21
Rawsons Rake. Rams. 1G 5
Rawsthorne Av. Rams. 3F 3
Raylees. Rams 3A 6
Raymond Av. Bury 4D 10
Read Clo. Bury. 4B 14
Recreation St. P'wich 3G 21
Rectory Av. P'wich 3F 21
Rectory Clo. Rad 1B 18
Rectory Gdns. P'wich 3F 21
Rectory Grn. P'wich 3E 21
Rectory Gro. P'wich 4F 21
Rectory Hill. Bury. 5H 11
Rectory La. Bury 5H 11
Rectory La. P'wich 2E 21
Rectory La. Rad 2H 17
Red Bank Rd. Rad. 6F 13
Red Bri. Bolt. 2A 12
Redcar Rd. L Lev 2A 16
Redcliffe Ct. P'wich. 5F 21
Redcot Ct. W'fld. 6A 18
Redford St. Bury. 6A 10
(in two parts)
Redisher Clo. Rams 4F 5
Redisher Cft. Holc. 4F 5
Redisher La. Hawk 3E 5
Red La. Bolt. 2A 12
(in two parts)
Red Rock La. Rad. 6D 16
Redvales. 5C 14
Redvales Rd. Bury 4C 14
Redwing Rd. G'mnt. 5F 5
Reedbank. Rad. 5G 17
Regal Clo. W'fld 5F 19
Regan St. Rad 3H 17
Regency Lodge. P'wich. 3E 21
Regent Ct. Salf. 6H 21
Regent St. Bury 5D 10
Regent St. Rams 2G 5
Reigate Clo. Bury 2H 13
Renshaw Dri. Bury 6G 11
Retford Clo. Bury 4B 10
Revers St. Bury 6B 10
Rhine Clo. T'ton 2F 9
Rhiwlas Dri. Bury. 3D 14
Rhodes. 6D 22
Rhodes Dri. Bury 3E 19
Rhodes Green. 5D 22
Rhode St. T'ton. 3F 9
Ribble Dri. Bury 1D 10
Ribble Dri. W'fld. 4E 19
Ribbleton Clo. Bury. 2F 13
Ribchester Dri. Bury. 4B 14
Richard Burch St. Bury. 6D 10
Richardson Clo. W'fld. 4D 18
Richard St. Rad. 2F 17
Richard St. Rams. 6G 3
Richmal Ter. Rams 6D 2
Richmond Av. P'wich 6G 21
Richmond Clo. T'ton 3F 9
Richmond Clo. W'fld. 6B 18
Richmond St. Bury. 3C 14
Richmond Wlk. Rad 5F 13
Riders Ga. Bury 1H 11
Ridge Cres. W'fld 5F 19
Ridge Gro. W'fld. 5F 19
Riding Head La. Rams 5H 3
Rigby Av. Rad. 6A 14
Riley Ct. Bury. 1A 14
Ringley. 6C 16
Ringley Chase. W'fld. 5B 18
Ringley Clo. W'fld. 5B 18
Ringley Dri. W'fld. 5B 18
Ringley Hey. W'fld 5B 18
Ringley Meadows. Rad 6C 16
Ringley M. Rad. 5H 17
Ringley Old Brow. Rad 6C 16
Ringley Pk. W'fld 5B 18
Ringley Rd. Rad 5B 16
(in three parts)
Ringley Rd. W'fld 5A 18
Ringley Rd. W. Rad. 5E 17
Ringstone Clo. P'wich. 4E 21
Ringwood Av. Rad 4H 17
Ringwood Av. Rams. 3G 5
Ripon Av. Bury. 3D 18
Ripon Clo. L Lev. 2A 16
Ripon Clo. Rad. 6B 14
Ripon Clo. W'fld. 3D 18
Ripon Hall Av. Rams. 3H 5
Riverbank Dri. Bury 5B 10
River Bank, The. Rad 5A 16
Rivermead Way. W'fld. 5E 19
Riversdale Ct. P'wich 3E 21
(in two parts)
Riverside Clo. Rad 1B 18
Riverside Dri. Rad. 5B 16
Riverside Dri. S'seat. 5H 5
Riverside Rd. Rad. 1B 18
River St. Rad 2H 17
River St. Rams. 1A 6
River Vw. Clo. P'wich 5D 20
River Vw. Ct. Salf 6G 21
Rivington Ct. W'fld 6A 18
Rivington Dri. Bury. 2G 13
Rivington Hall Clo. Rams 3A 6
Roach Bank Ind. Est. Bury. . . . 4F 15
Roach Bank Rd. Bury 4F 15
Roach St. Bury. 1D 18
(Manchester Rd.)
Roach St. Bury. 1G 15
(Waterfold La.)
Roading Brook Rd. Bolt 6A 8
Robertson St. Rad 1G 17
Robert St. Bury. 6A 10
Robert St. P'wich 3G 21
Robert St. Rad 1G 17
Robert St. Rams. 4E 3
Robin La. W'fld 6D 18
(Bury New Rd.)
Robin La. W'fld 6D 18
(Higher La.)
Robin Rd. Bury 4H 5
Roch Clo. W'fld. 4F 19
Roch Cres. W'fld. 3F 19
Rochdale Old Rd. Bury. 6G 11
Rochdale Rd. Bury 1E 15
Rochdale Rd. Rams & Roch . . . 2G 3
Rochester Av. P'wich 5G 21
Rochford Av. W'fld 6B 18
Rochford Clo. W'fld 6B 18
Roch Wlk. W'fld 4F 19
Roch Way. W'fld. 4F 19
Rock St. Rams. 6G 3
Rock, The. Bury 1C 14
(in three parts)
Roeburn Wlk. W'fld 5G 19
Role Row. P'wich 6F 21
Rollesby Clo. Bury 4B 10
Roman Rd. P'wich 6E 21
Roman St. Rad 2E 17
Rooden Ct. P'wich 3G 21
Rook St. Rams. 1A 6
Roosevelt Rd. Kear. 6A 16
Roscow Rd. Kear 6A 16
Rosebank. Rams. 4E 3
Rosebank Clo. A'wth. 2C 12
Roseberry Clo. Rams 4A 6
Rose Gro. Bury. 1G 13
Rose Hill. Rams 1H 5
Roseland Dri. P'wich 1G 21
Rosewood Av. T'ton 4G 9
Rossall Av. Rad 4A 18
Ross Av. W'fld 1D 20
Rosthwaite Clo. Midd 4D 22
Roston Rd. Salf 6H 21
Rostron Rd. Rams 1H 5
Rostron St. Rad 1G 17
Rothay Clo. Bolt 2A 12
Rothbury Clo. Bury. 1F 13
Rothwell St. Rams 1H 5
Rough Hill La. Bury 5H 11
Rowanlea. P'wich. 3G 21
Rowan Pl. P'wich 4F 21
Rowans St. Bury. 5A 10
Rowany Clo. P'wich 5E 21
Rowlands. 5B 6
Rowlands Rd. Bury. 5A 6
Rowrah Cres. Midd. 4D 22
Royal Av. Bury 4D 10
Royds Clo. T'ton. 4G 9
Royds St. T'ton. 2F 9
Royd St. Bury. 5H 11
Royston Clo. G'mnt. 6F 5
Ruby St. Bury. 4A 6
Rudgwick Dri. Bury. 2A 10
Rufford Clo. W'fld. 3E 19
Rufford Dri. W'fld. 3D 18
Rupert St. Rad 4H 17
Rush Acre Clo. Rad. 2E 17
Rushmere Dri. Bury 4A 10
Ruskin Cres. P'wich 4D 20
Ruskin Rd. L Lev 1B 16
Ruskin Rd. P'wich 4D 20
Ruskin St. Rad 1A 18
Russell St. Bury 5D 10
Russell St. P'wich 3F 21
Ruth St. Bury. 5D 10
Ruth St. Rams 3F 3
Rutland Clo. L Lev 1B 16
Rutland Dri. Bury 3E 15
Rutland Dri. Salf. 6G 21
Rydal Clo. Bury. 4C 14
Rydal Gro. W'fld. 5E 19
Rydal Rd. L Lev 2A 16
Ryder St. Rad. 2B 18
Rye Cft. W'fld. 6A 18
Ryecroft Av. T'ton 3F 9

S

Sabden Clo. Bury 2D 10
Sackville St. Bury. 6D 10
St Aidans Clo. Rad 4G 17
St Andrews Clo. Rams 2A 6
St Andrews Rd. Rad 5F 13
St Andrews St. Rad. 5F 13
St Andrews Vw. Rad 5F 13
St Annes M. W. T'ton 2F 9
St Anne's St. Bury 5D 10
St Anns Clo. P'wich 4E 21
St Ann's Rd. P'wich 4D 20
St Austell Dri. G'mnt. 5F 5
St Austells Dri. P'wich. 2F 21
St Clair Rd. G'mnt. 4F 5
St Clement's Ct. P'wich. 3G 21
St Edmund Hall Clo. Rams 3A 6
St Georges Ct. Bury 2G 19
St George's Rd. Bury 1G 19
St James Av. Bury 5H 9
St John's Ct. Rad 3A 18
St John's St. Rad 3H 17
St Joseph's Av. W'fld. 6F 19
St Kilda Av. Kear. 6A 16
St Margarets Clo. P'wich 1G 21
St Margaret's Rd. P'wich 2G 21
St Marks Sq. Bury 5D 10
St Mary's Clo. P'wich 3E 21
St Marys Ct. P'wich 3E 21
St Mary's Pl. Bury. 1C 14
St Mary's Rd. P'wich. 3E 21
St Mawes Ct. Rad. 6C 12
St Michael's Clo. Bury. 3G 13
St Michaels Gdns. W'fld 4F 19
St Pauls Clo. Rad. 4G 17
St Pauls Ct. Bury 6E 11
St Paul's Ct. Salf. 6G 21
St Paul's Rd. Salf 6G 21
St Paul's St. Bury 6E 11
St Paul's St. Rams 6E 3
St Paul's Vs. Bury. 6E 11
St Peter's Rd. Bury. 4C 14
St Thomas Clo. Rad 2G 17
St Thomas Ct. Bury. 1E 15
Salcombe Av. Bolt 2D 12
Salcombe Gro. Bolt. 5A 12
Sales's La. Bury 6E 7
Salford St. Bury 5E 11
Salisbury Dri. P'wich 5G 21
Salisbury Rd. Rad. 6E 13
Salisbury St. W'fld 5D 18
Salisbury Ter. L Lev 2B 16
Salmesbury Hall Clo. Rams . . . 2H 5
Salthouse Clo. Bury 3A 10
Saltram Clo. Rad 6C 12
Samuel St. Bury 6E 11
Sand Beds La. Ross 1H 3
Sanderson St. Bury. 6E 11
Sandford St. Rad 1B 18
Sandgate Av. Rad. 6B 16
Sandgate Rd. W'fld. 6F 19
Sandhurst Clo. Bury. 6H 9
Sandilea Ct. Salf 6F 21
(off Kellbrook Cres.)
Sandi Way. P'wich 4E 21
Sandown Cres. L Lev 3A 16
Sandown Rd. Bury 2E 19
Sandringham Dri. G'mnt. 6G 5
Sandringham Grange.
P'wich 4H 21
Sandybrook Clo. T'ton. 3F 9
Sandy Clo. Bury. 1D 18
Sandylands Dri. P'wich 6E 21
Sandy La. P'wich 4D 20
Sandy Meade. P'wich 4D 20
Sankey St. Bury 1B 14
Sarah St. Rams 2G 3
Saville Rd. Rad 4F 13
Savoy Ct. W'fld. 3C 18
Sawley Av. W'fld. 3D 18
Sawyer St. Bury 5H 9
Saxon Clo. Bury 1H 13
Saxon St. Rad. 2F 17
Scarr Av. Rad 3A 18
Schofield St. Rad 1H 17
Scholes La. P'wich 4F 21
Scholes St. Bury. 6A 10
Scholes Wlk. P'wich. 4G 21
School Brow. Bury 1D 14
School Ct. Rams. 3F 3
School Gro. P'wich. 5E 21
School La. Bury 1C 10
Schoolside La. Midd. 6D 22
School St. Bury. 2F 15
School St. L Lev. 2B 16
School St. Rad 2F 17
School St. Rams 2H 5
Scobell St. T'ton. 4F 9
Scotland Pl. Rams 1A 6
Scott Av. Bury 5D 14
Scott Rd. P'wich. 4D 20
Scott St. Rad 6D 16
Scout Rd. Rams. 3H 3
Scout Vw. T'ton 3G 9
Seaham Dri. Bury. 4A 10
Sealand Ho. P'wich. 2G 21
Seatoller Dri. Midd 4D 22
Second Av. Bury. 5H 11
Second Av. L Lev 1A 16
Seddon Av. Rad 6B 14
Seddon Clo. Rad 1G 17
Seddon Gdns. Rad 5A 16
Seddon La. Rad 5A 16
Seddons Av. Bury. 3G 13
Seddon St. L Lev 2B 16

A-Z Bury 33

Seddon St. *Rad* . . . 2G **17**
Sedgefield Rd. *Rad* . . . 5F **17**
Sedgemoor Va. *Bolt* . . . 1A **12**
Sedgley Av. *P'wich* . . . 5G **21**
Sedgley Park. . . . 5G 21
Sedgley Pk. Rd. *P'wich* . . . 5G **21**
Sedgley Pk. Trad. Est.
P'wich . . . 6F **21**
Seedfield. . . . 4C 10
Seedfield Rd. *Bury* . . . 4D **10**
Sefton Ct. *Bury* . . . 3D **10**
Sefton Dri. *Bury* . . . 3E **11**
Sefton Rd. *Rad* . . . 4E **13**
Sefton St. *Bury* . . . 3D **10**
Sefton St. *Rad* . . . 4A **18**
Sefton St. *W'fld* . . . 6D **18**
Selby Av. *W'fld* . . . 3D **18**
Selby Clo. *Rad* . . . 6B **14**
Selby Wlk. *Bury* . . . 1F **13**
Sergeants La. *W'fld* . . . 6A **18**
Settle Clo. *Bury* . . . 1F **13**
Settle St. *L Lev* . . . 2C **16**
Severn Clo. *Bury* . . . 2D **10**
Severn Rd. *Heyw* . . . 2H **11**
Seymour Ct. *Rad* . . . 2H **17**
(in two parts)
Seymour St. *Rad* . . . 2H **17**
(Church St. W.)
Seymour St. *Rad* . . . 2H **17**
(Darbyshire St.)
*Seymour Wlk. Rad . . . 2H **17***
(off Haworth Wlk.)
Shakespeare Av. *Bury* . . . 5D **14**
Shakespeare Av. *Rad* . . . 1E **17**
Shakespeare Rd. *P'wich* . . . 4D **20**
Sharples Dri. *Bury* . . . 5F **9**
Sharp St. *P'wich* . . . 3E **21**
Shaw St. *Bury* . . . 6F **11**
Sheaf Fld. Wlk. *Rad* . . . 1G **17**
Sheepfoot La. *P'wich* . . . 4H **21**
Sheep Ga. Dri. *T'ton* . . . 4E **9**
Sheep Hey. *Rams* . . . 4F **3**
Shelley Rd. *P'wich* . . . 4D **20**
Shepherds Clo. *G'mnt* . . . 6F **5**
Shepherd St. *Bury* . . . 2D **14**
Shepherd St. *G'mnt* . . . 1F **9**
Sherborne Clo. *Rad* . . . 6D **12**
Sherbourne Ct. *P'wich* . . . 3E **21**
Sherbourne Dri. *Heyw* . . . 2H **11**
Sherbourne St. *P'wich* . . . 3E **21**
Sheringham Dri. *Bury* . . . 4B **10**
Sherwood Av. *Rad* . . . 3F **13**
Sherwood Clo. *T'ton* . . . 2F **9**
Shetland Way. *Rad* . . . 6G **13**
Shillingstone Clo. *Bolt* . . . 6A **8**
Shilton St. *Rams* . . . 2H **5**
Shipper Bottom La. *Rams* . . . 2B **6**
(in two parts)
Shipston Clo. *Bury* . . . 6H **9**
Shirebrook Dri. *Rad* . . . 1H **17**
Shire Gdns. *Rad* . . . 1F **17**
Shirehills. *P'wich* . . . 4E **21**
Shires, The. *Rad* . . . 6G **13**
Shorrocks St. *Bury* . . . 6F **9**
Shortlands Av. *Bury* . . . 2D **14**
Shrewsbury Rd. *P'wich* . . . 4E **21**
Shuttle St. *Rad* . . . 4A **18**
Shuttleworth. . . . 5G 3
Siddall St. *Rad* . . . 1G **17**
Side of the Moor. . . . 3A 8
Silver Ct. *W'fld* . . . 4C **18**
Silverdale Av. *P'wich* . . . 5H **21**
Silver St. *Bury* . . . 1C **14**
Silver St. *Rams* . . . 1A **6**
Silver St. *W'fld* . . . 4C **18**
Simister. . . . 5A 22
Simister Dri. *Bury* . . . 3E **19**
Simister Grn. *P'wich* . . . 4A **22**
Simister La.
P'wich & Midd . . . 5H **19**
Simonbury Clo. *Bury* . . . 1F **13**
Simon La. *Midd* . . . 3C **22**
Simpson Av. *Swin* . . . 5A **20**
Singleton Clo. *Salf* . . . 6G **21**
Singleton Lodge. *Salf* . . . 6H **21**
Singleton Rd. *Salf* . . . 6G **21**
Singleton St. *Rad* . . . 1D **16**
Sion St. *Rad* . . . 3F **17**
Sixth Av. *Bury* . . . 5H **11**
Sixth Av. *L Lev* . . . 1A **16**
Skegness Clo. *Bury* . . . 4B **10**
Skelton Gro. *Bolt* . . . 3A **12**
Skipton Clo. *Bury* . . . 1F **13**
Slade St. *L Lev* . . . 2A **16**
Slaidburn Dri. *Bury* . . . 6E **9**
Sleaford Clo. *Bury* . . . 4B **10**
Slimbridge Clo. *Bolt* . . . 2A **12**
Smethurst Rd. *Bury* . . . 1G **11**
Smethurst St. *Bury* . . . 5H **9**
Smithills Hall Clo. *Rams* . . . 2A **6**
Smith St. *Bury* . . . 6E **11**
Smith St. *Rams* . . . 2H **5**
Smithy St. *Rams* . . . 1A **6**
Smyrna St. *Rad* . . . 1F **17**
*Smyrna Wlk. Rad . . . 1F **17***
(off Smyrna St.)
Snape St. *Rad* . . . 5F **13**
(in two parts)
Snow Hill Ter. *P'wich* . . . 3G **21**
Solness St. *Bury* . . . 3D **10**
Somerset Dri. *Bury* . . . 3D **14**
Somerton Rd. *Bolt* . . . 5A **12**
Sommerville Ct. *Salf* . . . 6H **21**
South Av. *W'fld* . . . 4C **18**
*South Bk. Rock. Bury . . . 1D **14***
(off Butcher La.)
S. Bank Rd. *Bury* . . . 2C **14**
South Clo. *Bury* . . . 2E **19**
S. Cross St. *Bury* . . . 1D **14**
(in two parts)
Southern App. *Swin* . . . 5A **20**
Southfield Av. *Bury* . . . 3D **10**
Southfield Rd. *Rams* . . . 5G **5**
Southgate Rd. *Bury* . . . 2D **18**
Southleigh Dri. *Bolt* . . . 5A **12**
South Meade. *P'wich* . . . 5H **21**
South Rd. *Swin* . . . 5B **20**
South Row. *P'wich* . . . 6D **20**
S. Royd St. *T'ton* . . . 2F **9**
South St. *Rams* . . . 1B **6**
(Derby St.)
South St. *Rams* . . . 1B **6**
(Peel Brow)
South Ter. *Bury* . . . 4B **14**
South Ter. *Rams* . . . 3E **3**
Sowerby Clo. *Bury* . . . 1F **13**
Spencer Av. *L Lev* . . . 2C **16**
Spencer Av. *W'fld* . . . 3C **18**
Spencer St. *Bury* . . . 6A **10**
Spencer St. *Rad* . . . 1A **18**
Spencer St. *Rams* . . . 2H **5**
Spen Fold. *Bury* . . . 3G **13**
Spenleach La. *Hawk* . . . 3C **4**
Spenser Av. *Rad* . . . 1E **17**
Speyside Clo. *W'fld* . . . 5E **19**
Spinney Dri. *Bury* . . . 3C **10**
Spinney, The. *W'fld* . . . 6A **18**
Spinnings, The. *S'seat* . . . 4A **6**
Spodden Wlk. *W'fld* . . . 4G **19**
Spring Av. *W'fld* . . . 3C **18**
Spring Clo. *Rams* . . . 1H **5**
Spring Clo. *T'ton* . . . 3E **9**
Springfield. *Rad* . . . 6C **16**
Springfield Gdns. *Kear* . . . 6A **16**
Springfield Rd. *Rams* . . . 5G **5**
Spring Gro. *W'fld* . . . 3C **18**
Spring La. *Rad* . . . 2G **17**
Springside Rd. *Bury* . . . 1B **10**
(in two parts)
Springside Vw. *Bury* . . . 2H **9**
Springside Vw. Cotts.
Bury . . . 2A **10**
Spring St. *Bury* . . . 1D **14**
Spring St. *Rams* . . . 1H **5**
(Bolton St.)
Spring St. *Rams* . . . 6F **3**
(Henry St.)
Spring St. *T'ton* . . . 2E **9**
Spring St. *Wals* . . . 5F **9**
*Spring Ter. T'ton . . . 2E **9***
(off Spring St.)
Spring Va. *P'wich* . . . 5E **21**
Springvale Dri. *T'ton* . . . 2E **9**
Spring Va. St. *T'ton* . . . 3E **9**
Spring Vw. *Kear* . . . 6A **16**
Spring Vw. *L Lev* . . . 2B **16**
Springwater Av. *Rams* . . . 4G **5**
Springwater La. *W'fld* . . . 3C **18**
Spring Wood St. *Rams* . . . 6D **2**
Spruce Av. *Bury* . . . 1F **15**
Spruce Cres. *Bury* . . . 2D **10**
Spruce St. *Rams* . . . 3G **5**
Square St. *Rams* . . . 1A **6**
Square, The. *Bury* . . . 1D **14**
Square, The. *W'fld* . . . 5B **18**
Stable Fold. *Rad* . . . 1G **17**
Stables, The. *P'wich* . . . 4G **21**
Stafford St. *Bury* . . . 5B **10**
Stainforth Clo. *Bury* . . . 6F **9**
Stainton Clo. *Rad* . . . 6F **13**
Stainton Rd. *Rad* . . . 6E **13**
Stanbury Clo. *Bury* . . . 2H **15**
Stand. . . . 6A 18
Stand Av. *W'fld* . . . 4C **18**
Stand Clo. *W'fld* . . . 5A **18**
Stand La. *Rad & W'fld* . . . 3H **17**
Standmoor Ct. *W'fld* . . . 6B **18**
Standmoor Rd. *W'fld* . . . 6B **18**
Standring Av. *Bury* . . . 3G **13**
Stand Ri. *Rad* . . . 5H **17**
Stanedge Clo. *Rams* . . . 4A **6**
Stanford Clo. *Rad* . . . 6C **16**
Stanford Hall Cres. *Rams* . . . 3H **5**
Stanhope Av. *P'wich* . . . 2E **21**
Stanhope Ct. *P'wich* . . . 2E **21**
Stanley Av. N. *P'wich* . . . 1E **21**
Stanley Av. S. *P'wich* . . . 1E **21**
Stanley Clo. *W'fld* . . . 4D **18**
Stanley Ct. *Bury* . . . 6D **10**
Stanley Dri. *W'fld* . . . 1D **20**
Stanley Rd. *Rad* . . . 5E **13**
Stanley Rd. *W'fld* . . . 4D **18**
Stanley St. *P'wich* . . . 3G **21**
Stanley St. *Rams* . . . 2H **5**
Stanley St. *W'fld* . . . 4D **18**
Stanmere Ct. *Hawk* . . . 4B **4**
Stanway Rd. *W'fld* . . . 5F **19**
Stapleford Clo. *Bury* . . . 1G **13**
Starbeck Clo. *Bury* . . . 1F **13**
Starkies. *Bury* . . . 4C **14**
Starling. . . . 2F 13
Starling Rd. *Rad & Bury* . . . 3E **13**
Starmount Clo. *Brad F* . . . 5A **12**
Station Rd. *G'mnt* . . . 6F **5**
Station Rd. *Kear* . . . 6A **16**
Statter St. *Bury* . . . 1E **19**
Stead St. *Rams* . . . 1A **6**
*Stephen Clo. Bury . . . 1A **14***
(off Stephen St.)
Stephen St. *Bury* . . . 1A **14**
Stephen St. S. *Bury* . . . 2A **14**
Stewart St. *Bury* . . . 6H **9**
(in two parts)
Stirling Gro. *W'fld* . . . 5E **19**
Stitch-Mi-La. *Bolt* . . . 1A **12**
Stobart Av. *P'wich* . . . 5G **21**
Stock St. *Bury* . . . 4C **10**
Stockton Dri. *Bury* . . . 4H **9**
Stokesay Clo. *Bury* . . . 6D **14**
Stone Clo. *Rams* . . . 3G **5**
Stoneclough. . . . 6B 16
Stoneclough Rd.
Kear & Rad . . . 6A **16**
Stonedelph Clo. *A'wth* . . . 2D **12**
Stonehewer St. *Rad* . . . 3H **17**
Stoneleigh Dri. *Rad* . . . 6B **16**
Stone Pale. *W'fld* . . . 6D **18**
Stone Pits. *Rams* . . . 2G **3**
Stoneybank. *Rad* . . . 6C **16**
Stopes Rd. *L Lev & Rad* . . . 2C **16**
Stores St. *P'wich* . . . 3G **21**
Stormer Hill Fold. *T'ton* . . . 1F **9**
Stow Clo. *Bury* . . . 4B **10**
Strangford St. *Rad* . . . 1D **16**
Strang St. *Rams* . . . 1A **6**
Stratford Av. *Bury* . . . 1C **10**
Strathmore Clo. *Rams* . . . 3A **6**
Street La. *Rad* . . . 3E **13**
Stretton Rd.
Rams & G'mnt . . . 5G **5**
Strongstry. . . . 3E 3
Strongstry Bri. *Rams* . . . 3E **3**
Strongstry Rd. *Rams* . . . 3E **3**
Stubbins. . . . 4E 3
Stubbins La. *Rams* . . . 6E **3**
Stubbins St. *Rams* . . . 4E **3**
Stubbins Va. Rd. *Rams* . . . 3E **3**
Stubbins Va. Ter. *Rams* . . . 4D **2**
Sudren St. *Bury* . . . 6F **9**
Suffolk Clo. *L Lev* . . . 6B **12**
Sulby St. *Rad* . . . 6B **16**
Sultan St. *Bury* . . . 3D **14**
Sumbland Ho. *Swin* . . . 5A **20**
Summerdale Dri. *Rams* . . . 5H **5**
Summerfield Dri. *P'wich* . . . 6E **21**
Summerseat. . . . 5A 6
Summerseat La. *Rams* . . . 4G **5**
(in three parts)
Summit. . . . 2H 11
Summit Clo. *Bury* . . . 1H **11**
Summit St. *Heyw* . . . 2H **11**
Sumner Av. *Bolt* . . . 2D **12**
Sunningdale Av. *Rad* . . . 6D **12**
Sunningdale Av. *W'fld* . . . 6A **18**
Sunningdale Clo. *Bury* . . . 3G **13**
Sunningdale Dri. *P'wich* . . . 2F **21**
Sunny Av. *Bury* . . . 4D **10**
Sunny Bank. . . . 2E 19
Sunny Bank. *Rad* . . . 5A **16**
Sunny Bank Rd. *Bury* . . . 2D **18**
Sunny Bower St. *T'ton* . . . 3E **9**
Sunny Dri. *P'wich* . . . 3D **20**
Sunnyfield Rd. *P'wich* . . . 6G **19**
Sunnymede Va. *Rams* . . . 4G **5**
Sunnywood Dri. *T'ton* . . . 3G **9**
Sunny Wood La. *T'ton* . . . 3G **9**
Sun St. *Rams* . . . 6D **2**
Surrey Clo. *L Lev* . . . 1B **16**
Surrey Dri. *Bury* . . . 3D **14**
Sussex Av. *Bury* . . . 2H **15**
Sussex Dri. *Bury* . . . 3D **14**
Suthers St. *Rad* . . . 4A **18**
Sutton Clo. *Bury* . . . 3H **13**
Swallow Dri. *Bury* . . . 5F **11**
Swanage Clo. *Bury* . . . 3A **10**
Swan Rd. *G'mnt* . . . 5F **5**
Swan St. *Rad* . . . 3H **17**
Swarbrick Dri. *P'wich* . . . 5D **20**
Swinside Clo. *Midd* . . . 3D **22**
Swinside Rd. *Bolt* . . . 3A **12**
Swinton Cres. *Bury* . . . 4E **19**
Swinton Lions Rugby League
Football Club. . . . 4D 14
(Gigg La.)
Sycamore Av. *Rad* . . . 5F **17**
Sycamore Dri. *Bury* . . . 3D **10**
Sycamore Dri. *Rad* . . . 6G **13**
Sycamore Pl. *W'fld* . . . 1D **20**
Sycamore Rd. *T'ton* . . . 4F **9**
Sycamores, The. *Rad* . . . 6B **16**
Sykes Av. *Bury* . . . 1F **19**
Sykes St. *Bury* . . . 6E **11**

T

Talbot Av. *L Lev* . . . 1A **16**
Talbot Gro. *Bury* . . . 3E **11**
Tall Trees. *Salf* . . . 6H **21**
Tamar Clo. *W'fld* . . . 5E **19**
Tamar Way. *Heyw* . . . 2H **11**
Tamworth Av. *W'fld* . . . 6E **19**
Tamworth Dri. *Bury* . . . 4A **10**
Tanfield Dri. *Rad* . . . 6B **16**
Tanners. . . . 1H 5
Tanners Cft. *Rams* . . . 1H **5**
Tanners St. *Rams* . . . 1H **5**
Tanpits Rd. *Bury* . . . 6C **10**
Taper St. *Rams* . . . 1H **5**
Tape St. *Rams* . . . 1H **5**
Tarbet Dri. *Bolt* . . . 4A **12**
Tarleton Clo. *Bury* . . . 2F **13**
Tarnbrook Clo. *W'fld* . . . 5G **19**
(in two parts)
Tarn Dri. *Bury* . . . 5C **14**
Taunton Gro. *W'fld* . . . 1E **21**
Taylor Ho. *Bury* . . . 4A **10**
Taylor's La. *Bolt* . . . 4A **12**
(in two parts)
Taylor St. *Bury* . . . 5D **10**
Taylor St. *P'wich* . . . 3G **21**
Taylor St. *Rad* . . . 2G **17**
Teak St. *Bury* . . . 1F **15**
Tedder Clo. *Bury* . . . 3F **19**
Ten Acre Ct. *W'fld* . . . 6A **18**
Ten Acre Dri. *W'fld* . . . 6B **18**
Tennyson Av. *Bury* . . . 5D **14**
Tennyson Av. *Rad* . . . 1E **17**
Tennyson Gdns. *P'wich* . . . 4D **20**
Tenterden St. *Bury* . . . 1B **14**
(in two parts)
Tentersfield. . . . 1B 14
Tenters St. *Bury* . . . 1B **14**
Terrace, The. *P'wich* . . . 4F **21**
Tetbury Dri. *Bolt* . . . 2A **12**
Tewkesbury Dri. *P'wich* . . . 5G **21**
Thames Clo. *Bury* . . . 1D **10**
Thatch Leach La. *W'fld* . . . 6E **19**

Thelma St.—William St.

Thelma St. *Rams* 1H **5**
Thetford Clo. *Bury* 4B **10**
Third Av. *Bury* 5H **11**
Third Av. *L Lev* 1A **16**
Thirlmere Dri. *Bury* 4C **14**
Thirsk Clo. *Bury* 4H **9**
Thirsk Rd. *L Lev* 2A **16**
Thomas More Clo. *Kear* 6A **16**
Thomas St. *Rad* 2H **17**
Thompson Av. *Bolt* 2D **12**
Thompson Av. *W'fld* 6E **19**
Thompson Dri. *Bury* 6G **11**
Thoresby Clo. *Rad* 6C **12**
Thorndyke Wlk. *P'wich* 4F **21**
Thornfield Rd. *T'ton* 2E **9**
Thornham Clo. *Bury* 3A **10**
Thornhill Rd. *Rams* 6G **5**
Thornley Rd. *P'wich* 6G **19**
Thornley St. *Rad* 3H **17**
Thorn St. *S'seat* 4A **6**
Thornton Clo. *L Lev* 2C **16**
Thornton Cres. *P'wich* 2D **20**
Thorn Vw. *Bury* 6G **11**
Thorpe Av. *Rad* 6B **14**
Thorpe St. *Midd* 6D **22**
Thorpe St. *Rams* 2H **5**
Thorp St. *W'fld* 3C **18**
Threlkeld Clo. *Midd* 4D **22**
Threlkeld Rd. *Midd* 4D **22**
Threshfield Clo. *Bury* 2D **10**
Throstle Gro. *Bury* 4A **10**
Thrush Dri. *Bury* 5F **11**
Thurlestone Av. *Bolt* 2D **12**
Thursby Wlk. *Midd* 3D **22**
Thurston Clo. *Bury* 3E **19**
Tib St. *Rams* 2H **5**
Tile St. *Bury* 6D **10**
Timberhurst. *Bury* 1H **15**
Timsbury Clo. *Bolt* 6A **12**
Tinline St. *Bury* 1E **15**
Tinsdale Wlk. *Midd* 4D **22**
Tintagel Ct. *Rad* 6C **12**
Tintern Av. *W'fld* 4D **18**
Tipton Clo. *Rad* 6D **12**
Tithebarn St. *Bury* 1D **14**
Tithebarn St. *Rad* 1B **18**
Tiverton Clo. *Rad* 6C **12**
Todd St. *Bury* 5C **10**
Toll St. *Rad* 1D **16**
Tommy La. *Bolt* 2C **12**
Tonbridge Clo. *Bury* 2A **10**
Tonge Clo. *W'fld* 4F **19**
Tonge Fold Cotts. *Bury* 4C **4**
Tong Rd. *L Lev* 1A **16**
Toon Cres. *Bury* 3A **10**
Topham St. *Bury* 3E **15**
(in two parts)
Top o' th' Fields. *W'fld* 6D **18**
(in two parts)
Topping Fold Rd. *Bury* 6G **11**
Topping St. *Bury* 6D **10**
Top Schwabe St. *Midd* 5D **22**
Tor Av. *G'mnt* 6F **5**
Tor Hey M. *G'mnt* 5F **5**
Torridon Rd. *Bolt* 4A **12**
Torver Dri. *Bolt* 3A **12**
Tottington. **3F 9**
Tottington La. *P'wich* 2C **20**
Tottington Rd. *Bolt* 3A **8**
Tottington Rd. *Bury* 4H **9**
Tottington Rd. *Tur & Hawk* 5A **4**
Tower Av. *Rams* 2G **5**
Tower Ct. *G'mnt* 1F **9**
Tower St. *Rad* 1B **18**
Tower Ter. *G'mnt* 1F **9**
Townfields Clo. *Bury* 2D **14**
Townside Row. *Bury* 2D **14**
Trawden Dri. *Bury* 1C **10**
Treetops Av. *Rams* 4G **5**
Trencherbone. *Rad* 6E **13**
Trent Av. *Heyw* 2H **11**
Trent Dri. *Bury* 1D **10**
Trimingham Dri. *Bury* 4A **10**
Trinity Grn. *Rams* 5H **5**
Trinity St. *Bury* 2D **14**
Troutbeck Clo. *Hawk* 5B **4**
Troutbeck Dri. *Rams* 5E **3**
Truro Clo. *Bury* 6B **10**
Tudor Ct. *P'wich* 4G **21**
Tulle Ct. *P'wich* 3E **21**
Turf St. *Rad* 2F **17**
Turks Rd. *Rad* 6D **12**
Turn. **4H 3**
Turnbull Av. *P'wich* 6G **19**
Turn Rd. *Rams* 5G **3**
Turton Av. *L Lev* 1A **16**
Turton Clo. *Bury* 3G **13**
Turton La. *P'wich* 2D **20**
Turton Rd. *Tur* 5A **4**
Tweedsdale Clo. *W'fld* 4F **19**
Twisse Rd. *Bolt* 4A **12**
Two Brooks La. *Hawk* 5B **4**

U

Ulleswater Clo. *L Lev* 2A **16**
Ullswater Dri. *Bury* 4C **14**
Ulundi St. *Rad* 2G **17**
Unicorn St. *Rad* 2E **17**
Union Arc. *Bury* 1D **14**
Union St. *Bury* 1D **14**
Union St. *Rams* 1A **6**
Unsworth. **2F 19**
Unsworth St. *Rad* 1F **17**
Uplands Av. *Rad* 3A **18**
Up. Park Rd. *Salf* 6H **21**
Up. Wilton St. *P'wich* 3G **21**
Uppingham Dri. *Rams* 6D **2**
Upton Way. *Wals* 4F **9**
Usk Clo. *W'fld* 6G **19**

V

Vale Av. *Bury* 4B **14**
Vale Av. *Rad* 6C **16**
Vale Coppice. *Rams* 4A **6**
Vale Dri. *P'wich* 5E **21**
Vale Edge. *Rad* 6G **13**
Vale St. *Bolt* 4A **12**
Valley Av. *Bury* 5H **9**
Valley Pk. Rd. *P'wich* 2D **20**
Ventnor Av. *Bury* 2D **18**
Venwood Ct. *P'wich* 5D **20**
Venwood Rd. *P'wich* 5D **20**
Verna St. *Rams* 1A **6**
Vernon Ct. *Salf* 6G **21**
Vernon Dri. *P'wich* 5E **21**
Vernon Rd. *G'mnt* 6F **5**
Vernon Rd. *Salf* 6G **21**
Vernon St. *Bury* 5D **10**
Vesta St. *Rams* 1H **5**
Vicarage Clo. *Bury* 1C **10**
Vicarage St. *Rad* 2G **17**
Victor Av. *Bury* 5C **10**
Victoria Av. *W'fld* 5E **19**
Victoria La. *W'fld* 6D **18**
Victoria M. *Bury* 3F **19**
Victorian Lanterns. *Bury* 5A **6**
Victoria Rd. *Kear* 6A **16**
Victoria Row. *Bury* 1B **14**
Victoria Sq. *W'fld* 6D **18**
Victoria St. *A'wth* 2C **12**
Victoria St. *Bury* 1B **14**
(in two parts)
Victoria St. *Rad* 2G **17**
Victoria St. *Rams* 1H **5**
Victoria St. *T'ton* 2E **9**
Victory Rd. *L Lev* 1A **16**
Villiers Ct. *W'fld* 1E **21**
Villiers St. *Bury* 6E **11**
Vine St. *P'wich* 2G **21**
Vine St. *Rams* 3G **5**
(in two parts)

W

Waddington Clo. *Bury* 1E **13**
Wadebridge Dri. *Bury* 1F **13**
Walker Av. *W'fld* 1E **21**
Walker St. *Bury* 3C **14**
Walker St. *Midd* 6D **22**
(in two parts)
Walker St. *Rad* 4A **18**
Wallbank St. *T'ton* 2F **9**
Wallis St. *P'wich* 2E **21**
Walmwork St. *Rad* 1G **17**
Walmersley. **1D 10**
Walmersley Old Rd. *Bury* 1D **10**
Walmersley Rd. *Bury* 5C **6**
Walmsley St. *Bury* 5H **9**
Walnut Av. *Bury* 6F **11**
Walshaw. **5F 9**
Walshaw Brook Clo. *Bury* 5F **9**
Walshaw La. *Bury* 5F **9**
Walshaw Rd. *Bury* 5F **9**
Walshaw Wlk. *T'ton* 4F **9**
Walshaw Way. *T'ton* 4F **9**
Walshe St. *Bury* 1B **14**
Walter La. *Bury* 4E **19**
Walter St. *P'wich* 3D **20**
Walter St. *Rad* 4F **13**
Waltham Gdns. *Rad* 1E **17**
Walton Clo. *Midd* 4D **22**
Walton Dri. *Bury* 1C **10**
Walworth Clo. *Rad* 6C **16**
Wardle Clo. *Rad* 6E **13**
Warlingham Clo. *Bury* 2H **13**
Warren St. *Bury* 2H **13**
Warth Fold. **4B 14**
Warth Fold Rd. *Rad* 5A **14**
(in two parts)
Warth Rd. *Bury* 4B **14**
Warton Clo. *Bury* 2F **13**
Warwick Av. *W'fld* 6F **19**
Warwick Clo. *Bury* 5H **9**
Warwick Clo. *G'mnt* 6G **5**
Warwick Clo. *W'fld* 6E **19**
Warwick Rd. *Rad* 5F **13**
Warwick St. *P'wich* 3E **21**
(in two parts)
Wasdale Av. *Bolt* 2A **12**
Wash Brow. *Bury* 4H **9**
Wash Fold. *Bury* 4H **9**
Washington Ct. *Bury* 6D **10**
Wash La. *Bury* 6E **11**
Wash La. Ter. *Bury* 1F **15**
Wash Ter. *Bury* 4H **9**
Wastdale Av. *Bury* 2E **19**
Waterdale Dri. *W'fld* 5E **19**
Waterfield Clo. *Bury* 2D **10**
Waterfold. *Bury* 2F **15**
Waterfold La. *Bury* 2G **15**
Waterfold Pk. *Bury* 1F **15**
Water La. *Rad* 2F **17**
Water La. *Rams* 3F **3**
Water La. St. *Rad* 2F **17**
(in two parts)
Waterloo Ct. *Bury* 3C **14**
Waterloo St. *Bury* 1B **14**
Waterpark Hall. *Salf* 6H **21**
Waterpark Rd. *Salf* 6H **21**
Waterside Clo. *Rad* 1B **18**
Waterside Rd. *Bury* 5H **5**
Water St. *Rad* 2F **17**
Water St. *Rams* 2H **5**
Watling St. *Aff* 5A **4**
Watling St. *Bury* 2F **13**
Watson St. *Rad* 1G **17**
Wavell Dri. *Bury* 4E **19**
Waverley Pl. *Rad* 2G **17**
Weaver Dri. *Bury* 1D **10**
Webb St. *Bury* 6B **10**
Webster Gro. *P'wich* 5D **20**
Wedgwood Rd. *Swin* 5A **20**
Welbeck Clo. *W'fld* 3D **18**
Welcomb Wlk. *W'fld* 6D **18**
Welland Av. *Heyw* 2H **11**
Wellbank. *P'wich* 4D **20**
Wellbank St. *T'ton* 3F **9**
Wellfield Clo. *Bury* 5C **14**
Well Gro. *W'fld* 3C **18**
Wellington Ct. *Bury* 2H **13**
Wellington Ct. *T'ton* 3F **9**
Wellington Gdns. *Bury* 1H **13**
*Wellington Ho. Bury 2H **13***
(off Haig Rd.)
Wellington Rd. *Bury* 3C **14**
Wellington Sq. *Bury* 2H **13**
Wellington St. *Bury* 2A **14**
Wellington St. *Rad* 1A **18**
(in two parts)
Wellington Vs. *Bury* 2A **14**
Wellington Wlk. *Bury* 2H **13**
Well La. *W'fld* 3D **18**
Wells Av. *P'wich* 5G **21**
Wells Clo. *Midd* 6D **22**
Wells St. *Bury* 2C **14**
Well St. *A'wth* 2C **12**
Well St. N. *Rams* 3E **3**
*Well St. W. Rams 2H **5***
(off Holt St. W.)
Wenning Clo. *W'fld* 4G **19**
Wensley Ct. *Salf* 6E **21**
Wensleydale Clo. *Bury* 2E **19**
Wensley Rd. *Salf* 6E **21**
Wentworth Av. *Bury* 5H **9**
Wentworth Av. *W'fld* 6B **18**
Wentworth Clo. *Rad* 1D **16**
Wesley Ct. *T'ton* 2E **9**
Wesley Ho. *T'ton* 2E **9**
Wesley St. *T'ton* 2E **9**
West Av. *W'fld* 3C **18**
Westbourne Av. *W'fld* 4B **18**
Westbury Clo. *Bury* 2G **13**
Westcombe Dri. *Bury* 5A **10**
West Dri. *Bury* 4C **10**
(in three parts)
Westerham Clo. *Bury* 2A **10**
Western Av. *Swin* 5B **20**
Westfield St. *Salf* 6H **21**
Westgate Av. *Bury* 2C **14**
Westgate Av. *Rams* 5G **5**
West Grn. *Midd* 6D **22**
Westholme Rd. *P'wich* 6G **19**
Westlands. *W'fld* 1D **20**
Westleigh Dri. *P'wich* 4H **21**
West Meade. *P'wich* 5H **21**
Westminster Av. *Rad* 1D **16**
Westminster Av. *W'fld* 5D **18**
Westminster St. *Bury* 2C **14**
Westmorland Clo. *Bury* 5C **14**
Weston Rd. *Rad* 5E **13**
West Rd. *P'wich* 2D **20**
West Row. *P'wich* 6D **20**
West St. *Rad* 2G **17**
West St. *Rams* 2H **5**
West Va. *Rad* 6G **13**
West Vw. *Rams* 3E **3**
Westview Gro. *W'fld* 4B **18**
Weycroft Clo. *Bolt* 5A **12**
Weythorne Dri. *Bury* 1H **11**
Whalley Clo. *W'fld* 4D **18**
Whalley Dri. *Bury* 1F **13**
Whalley Rd. *Rams* 4G **3**
Whalley Rd. *W'fld* 4D **18**
Wheatfield Clo. *Bury* 2D **10**
Wheatsheaf Ind. Est. *Swin* 6A **20**
Wheelton Clo. *Bury* 2G **13**
Whelan Av. *Bury* 4C **14**
Whelan Clo. *Bury* 4C **14**
Whewell Av. *Rad* 6B **14**
Whinfell Dri. *Midd* 4D **22**
Whipney La. *G'mnt* 5D **4**
Whitburn Dri. *Bury* 4A **10**
Whitby Clo. *Bury* 1F **13**
White Birk Clo. *G'mnt* 5F **5**
White Brow. **6D 14**
White Brow. *Bury* 6D **14**
White Carr La. *Bury* 6E **7**
Whitecroft Dri. *Bury* 6F **9**
Whitefield. **6C 18**
Whitefield Cen. *W'fld* 5F **19**
Whitefield Rd. *Bury* 4B **14**
(in two parts)
Whitehead Cres. *Bury* 4A **10**
Whitehead Cres. *Rad* 6C **16**
Whitehead Rd. *Swin* 5A **20**
Whitelegge St. *Bury* 5H **9**
Whitelow Rd. *Bury* 1C **6**
White St. *Bury* 2A **14**
Whitewell Clo. *Bury* 4B **14**
Whittaker Clo. *P'wich* 3G **21**
Whittaker Ho. *Rad* 1G **17**
Whittaker La. *P'wich* 3G **21**
Whittaker St. *Rad* 1H **17**
Whittingham Dri. *Rams* 3A **6**
Whittle Brook Clo. *Uns* 6F **15**
Whittle La. *Heyw* 1C **22**
Whittle St. *Bury* 6A **10**
Widcombe Dri. *Bolt* 6A **12**
Wiggins Teape Rd. *Bury* 5F **15**
Wike St. *Bury* 6B **10**
Wilby Av. *L Lev* 6A **12**
Wilby Clo. *Bury* 4B **10**
Wilds Pl. *Rams* 2H **5**
Wild St. *Rad* 1B **18**
Wildwood Clo. *Rams* 3G **5**
*Wilfred Dri. Bury 5F **11***
(off Huntley Mt. Rd.)
Wilkinson Av. *L Lev* 6A **12**
Willand Clo. *Bolt* 5A **12**
Willand Dri. *Bolt* 6A **12**
Williamson Av. *Rad* 5F **13**
William St. *L Lev* 2B **16**

A-Z Bury 35

William St. *Rad* 1H **17**
William St. *Rams* 4E **3**
Willingdon Clo. *Bury*. 2A **10**
Willingdon Dri. *P'wich*. 2F **21**
Willowbank. *Rad*. 5F **17**
Willow Rd. *P'wich*. 1E **21**
Willows, The. *Brad F*. 6A **12**
Willow St. *Bury*. 1F **15**
(in two parts)
Wilmur Av. *W'fld*. 6E **19**
Wilson Av. *Swin* 5A **20**
Wilson St. *Bury*. 2E **15**
Wilson St. *Rad* 1F **17**
Wilton Av. *P'wich* 5H **21**
Wilton Ct. *P'wich* 5A **22**
Wilton Dri. *Bury* 6E **15**
Wilton Gdns. *Rad* 6A **14**
Wilton St. *Midd* 6D **22**
Wilton St. *P'wich* 3G **21**
Wilton St. *W'fld* 6D **18**
Wiltshire Clo. *Bury* 3E **15**
Winchester Av. *P'wich* 5G **21**
Winchester Clo. *Bury* 2A **10**
Winchester Rd. *Rad* 6D **12**
Windermere Av. *L Lev*. 1A **16**
Windermere Clo. *P'wich* 2D **20**
Windermere Dri. *Bury*. 4C **14**
Windermere Dri. *Rams* 6E **3**
Windermere Rd. *Midd* 3D **22**
Windrush Av. *Rams* 5G **5**
Windsor Av. *L Lev* 2A **16**
Windsor Av. *W'fld*. 6E **19**
Windsor Clo. *G'mnt* 6G **5**
Windsor Dri. *Bury*. 3H **13**
Windsor Gro. *Rad*. 6B **16**
Windsor Rd. *P'wich* 5H **21**
(in two parts)
Wingate Av. *Bury* 1H **13**
Wingate Dri. *W'fld* 4C **18**
Winifred Av. *Bury* 1H **11**
Winifred St. *Rams* 2H **5**
Winmarleigh Clo. *Bury* 2F **13**
Winster Clo. *Bolt* 2A **12**
Winster Clo. *W'fld*. 5F **19**
Winster Dri. *Bolt*. 2A **12**
Winston Av. *L Lev*. 2C **16**
Winston Clo. *Rad* 6E **13**
Wiseman Ter. *P'wich*. 3G **21**
Witham Clo. *Heyw* 2H **11**
Withins Av. *Rad* 6A **14**
Withins La. *Rad* 6A **14**
Withins St. *Rad* 1A **18**
Withnell Dri. *Bury*. 2G **13**
Woburn Dri. *Bury*. 6D **14**
Wolseley St. *Bury*. 2H **13**
Wolsey Clo. *Rad*. 2G **17**
Wolsey St. *Rad*. 2G **17**
Wolstenholme Av. *Bury*. 3D **10**
Woodbank Dri. *Bury*. 5A **10**
Woodcliffe Lodge. *P'wich* 5F **21**
Wooded Clo. *Bury* 4D **10**
Wood Fields. **6D 10**
Woodfields Retail Pk. *Bury* . . . 6C **10**
Woodgate Av. *Bury*. 5H **11**
Woodgate Dri. *P'wich*. 1G **21**
Woodgate Hill. **5H 11**
Woodgate Hill Rd. *Bury* 6G **11**
(Fern Grove, in two parts)
Woodgate Hill Rd. *Bury* 5H **11**
(Woodgate Hill)
Woodgreen Dri. *Rad*. 5G **17**
Wood Gro. *W'fld*. 2C **18**
Woodhall Av. *W'fld* 1B **20**
Woodhall Clo. *Bury*. 4B **10**
Woodhead Clo. *Rams* 3A **6**
Woodhey. **4G 5**
Wood Hey Clo. *Rad* 2D **16**
Woodhey Rd. *Rams* 4G **5**
Woodhill. **6A 10**
Woodhill Dri. *P'wich* 4F **21**
Woodhill Fold. **6B 10**
Woodhill Fold. *Bury* 6B **10**
(in two parts)
Woodhill Gro. *P'wich*. 4F **21**
Woodhill Rd. *Bury* 6B **10**
(in two parts)
Woodhill St. *Bury*. 5B **10**
Woodland Cres. *P'wich* 5F **21**
Woodlands. *P'wich*. 6D **20**
Woodlands Av. *W'fld*. 4C **18**
Woodlands Gro. *Bury*. 6H **9**
Woodlands Rd. *Rams* 3F **3**
Woodlands, The. *Bury*. 4B **10**
Woodlands Vw. *Rams*. 1A **6**
Wood La. *Rams* 3F **3**
Woodley Av. *Rad* 4H **17**
Woodley St. *Bury*. 3D **14**
Woodman Dri. *Bury* 3C **10**
Wood Road. **6A 6**
Wood Rd. La. *Bury*. 5A **6**
Woodroyd Dri. *Bury*. 6G **11**
Woodside Dri. *Rams*. 2G **5**
Woodstock Dri. *T'ton* 2D **8**
Wood St. *Bury* 6A **10**
Wood St. *Rad*. 5E **17**
Wood St. *Rams* 2H **5**
Wood Ter. *A'wth*. 2D **12**
Woodthorpe Ct. *P'wich*. 5H **21**
Woodthorpe Grange. *P'wich* . . 5H **21**
Woodward Clo. *Bury*. 4D **10**
Woodward Rd. *P'wich* 5D **20**
Woolfold. **5H 9**
Woolfold Trad. Est. *Bury* 5A **10**
Worcester Clo. *Bury* 3E **15**
Worcester Rd. *L Lev*. 2A **16**
Worcester St. *Bury*. 5B **10**
Wordsworth Av. *Bury* 5D **14**
Wordsworth Av. *Rad*. 1E **17**
Wordsworth Gdns. *P'wich* . . . 4D **20**
Worrell Clo. *Rad* 1F **17**
Worsley St. *T'ton* 2E **9**
Worthington Dri. *Salf* 6H **21**
Wragby Clo. *Bury*. 4B **10**
Wren Av. *Swin* 4A **20**
Wren Dri. *Bury* 5F **11**
Wrigglesworth Clo. *Bury*. 6F **9**
Wright St. *Rad* 2F **17**
Wroxham Clo. *Bury* 4B **10**
Wylde, The. *Bury* 1C **14**
Wyre Clo. *W'fld*. 4F **19**

Y

Yarrow Wlk. *W'fld* 4G **19**
Yarwood St. *Bury* 1E **15**
Yates St. *Midd* 6D **22**
Yates Ter. *Bury* 4C **10**
Yeargate Ind. Est. *Bury*. 1H **15**
Yewdale Av. *Bolt*. 1A **12**
Yewdale Gdns. *Bolt*. 1A **12**
Yew St. *Bury* 6G **11**
Yew Tree Dri. *P'wich* 3F **21**
York Av. *L Lev* 2A **16**
York Av. *P'wich* 5H **21**
York Dri. *Rams*. 3G **5**
York St. *Bury* 1E **15**
York St. *Rad*. 6B **14**
York St. *W'fld*. 5D **18**
Young St. *Rad*. 6F **13**
Young St. *Rams*. 1H **5**

Z

Zama St. *Rams*. 3G **5**